afgeschreven

Stormvogels

Wilt u op de hoogte worden gehouden van de romans en literaire thrillers van uitgeverij Signatuur? Meldt u zich dan aan voor de literaire nieuwsbrief via onze website www.uitgeverijsignatuur.nl.

Ivana Jeissing

Stormvogels

Vertaald door Katja Hunfeld-Bekker

SIGNATUUR

2011

© 2009 Diogenes Verlag AG Zürich
All rights reserved
Oorspronkelijke titel: Felsenbrüter
Vertaald uit het Duits door Katja Hunfeld-Bekker
© 2011 uitgeverij Signatuur, Utrecht en Katja Hunfeld-Bekker
Alle rechten voorbehouden.

Omslagontwerp: Wil Immink Design
Illustratie omslag: Mike Lane / Alamy / Imageselect
Typografie: Pre Press Media Groep, Zeist
Druk- en bindwerk: Koninklijke Wöhrmann, Zutphen

ISBN 978 90 5672 378 1
NUR 302

Deze uitgave kwam mede tot stand dankzij financiële
ondersteuning van het Oostenrijkse ministerie van Onderwijs,
Kunst en Cultuur.

Dit boek is gedrukt op papier dat het keurmerk van de Forest Stewardship Council (FSC) mag dragen. Bij dit papier is het zeker dat de productie niet tot bosvernietiging heeft geleid. Een flink deel van de grondstof is afkomstig uit bossen en plantages die worden beheerd volgens de regels van FSC. Van het andere deel van de grondstof is vastgesteld dat hiervoor geen houtkap in de laatste resten waardevol bos heeft plaatsgevonden. Daarom mag dit papier het FSC Mixed Sources label dragen. Voor dit boek is het FSC-gecertificeerde Munkenprint gebruikt. Dit papier is 100% chloor- en zwavelvrij gebleekt en wordt geleverd door Arctic Paper Munkedals AB, Zweden.

1

Zoals afgesproken staat Maud op Guernsey op de pier van de St. Peter Port-terminal op me te wachten. En terwijl ik haar omvangrijke bagage aan boord sleep, vraag ik me af waarom iemand vier koffers nodig heeft voor een weekje op een eiland dat vertaald 'stilte' heet en dat zo klein is dat 'asfalt' er een vreemd woord is, omdat alle wegen van aangestampte modder zijn. Ik heb alleen handbagage bij me en wil slapen. Verder niets.

'Je moet er even tussenuit om weer in balans te komen,' had Maud gezegd toen ik haar tijdens een lang telefoongesprek vertelde dat Tom zonder waarschuwing vooraf zijn biezen had gepakt en ik me nogal verloren voelde.

'Waarom ga je niet mee naar Sark?' stelde ze voor.

'Sark?' herhaalde ik en er kwamen associaties met sarcasme, sarcoom en sarcofaag in me op. Ik had nog nooit gehoord van het minuscule Kanaaleiland, waar geen straatverlichting is, omdat een enkele dieselgenerator er voor stroom zorgt.

'Ik weet niet of zo'n duister eiland de goede plek is voor mijn postmatrimoniale depressie,' zei ik aarzelend.

Maud probeerde mijn twijfel weg te nemen.

'Sark is de ideale plek om het verleden te belichten. Elektrisch licht zou daar alleen maar bij storen.'

'Terugkijken wil ik niet. Ik wil vooruitkijken.'

'Vergeet het,' zei Maud, en ze begon zo enthousiast over

7

Sark te vertellen dat ik op een gegeven moment nieuwsgierig werd en besloot met haar mee te gaan.

Maud wilde vanaf het eiland de nachtelijke hemel verkennen met haar op een draaibaar statief gemonteerde, op een warmwaterboiler lijkende telescoop. Dat deed ze al bijna veertig jaar: zich gigantische sterrenconstellaties inprenten. Op zoek naar een supernova verstreken soms maanden of jaren, maar dat was nog steeds een te verwaarlozen periode vergeleken bij de miljoenen jaren die het licht van die stervende sterren door het heelal was gezworven om nu een paar weken een plekje aan het dichtbevolkte sterrenfirmament te bezetten. Naar die lichtpuntjes was Maud op zoek.

'Allemaal geschiedenis, kind, zowel het licht van de sterren als je huwelijk met Tom,' zei Maud jolig en ze hing op.

Ik ging op pad om een driepolige adapter met platte stekker en een zaklantaarn te kopen.

Eigenlijk voelde ik me niet opgewassen tegen Mauds humor. Maar ze zou me afleiden. Dooddoeners als 'Wat erg voor je' en 'Ik weet hoe je je voelt' behoorden niet tot Mauds repertoire. Ze hield zich helemaal niet bezig met de gevoelens van anderen, omdat het natuurwetenschappelijk onmogelijk is als een ander te denken.

Dienovereenkomstig had ze dus ook niet aan mij gedacht toen ze haar koffers had ingepakt. Daarom sleepte ik nu, behalve de gebruikelijke dingen die je op reis nodig hebt, tijdschriften over stervende sterren en zwarte gaten, haar telescoop, meetapparatuur en vooral boeken de veerboot op.

Marie Undine Daphne, kortweg Maud, is de zus van mijn opa. Ze verliet op haar twintigste haar ouderlijk huis in Berlijn-Kladow waar haar broer zijn leven lang zou blijven wonen, om aan de andere kant van de wereld een rots te beklimmen. Ayers Rock. Helaas had ze haar eigen conditie overschat en de Australische zomer onderschat. Daar kwam bij dat het weer onverwacht snel omsloeg. Zo gebeurde het dat tante Maud op grote hoogte van de rots werd afgeblazen bij een windsnelheid van meer dan vijfentwintig knopen en nogal onflatteus op haar buik, met een verstuikte schouder en een in de war geraakt kapsel voor de voeten van een inheems reisgezelschap neerkwam.

Ze wilde daarna nooit meer op Ayers Rock staan. Wel stond ze een paar maanden na haar vertrek op de commode in de slaapkamer van mijn grootouders in Kladow. Ingelijst in wortelhout en met een Australische echtgenoot. Op de achtergrond een kudde runderen.

Het huwelijk met Rex Foster bleef kinderloos en ze scheidden met wederzijds goedvinden. Foster ging naar Nieuw-Zeeland om daar als boer opnieuw te beginnen en Maud probeerde het hoofd een tijdje boven water te houden met het geven van Duitse les in Sydney.

Maar toen veranderden twee opeenvolgende gebeurtenissen haar leven. Ze won een aardige som geld in de loterij, waarvan ze weliswaar niet uitbundig, maar toch goed tot aan haar levenseinde kon leven, en ze las in een van de Berlijnse kranten, die opa met regelmatige tussenpozen tot pakje gesnoerd naar Australië stuurde, een artikel over Albert Einstein.

Tante Maud had er tot op dat moment nooit bij stilgestaan dat ze van de enige planeet waar ze ooit op zou leven eigenlijk niks wist en dat haar leven zich naar natuurkundige wetten voegde die ze niet begreep. Het artikel fascineerde haar zo dat haar passie voor het universum ontvlamde. Ze besloot naar Berlijn terug te keren om aan de Humboldtuniversiteit natuurkunde en wiskunde te studeren.

Maud vereerde Albert Einstein zo dat ze, als ze dan al niet aan zijn zijde kon zijn, toch ten minste in zijn buurt wilde zijn. Of beter gezegd: in de buurt van zijn verleden, want Albert Einstein was op dat moment allang dood. Het nabijgelegen Caputh, waar Einstein tot 1932 had gewoond, gaf haar het gevoel dat ze iets gemeen hadden, al was het maar de donkere Havel. Of de mogelijkheid dat Einstein op een zonnige dag langs Kladow gezeild zou kunnen zijn. Wat hij vermoedelijk nooit heeft gedaan. Maar het had gekund.

Zo kwam het dat Maud op 20 juli 1969 haar intrek nam in het huis boven de garage in Kladow. Dat uitgerekend op die dag ook de maanlander van de *Apollo 11* in de Mare Tranquillitatis terechtkwam was puur toeval. Ik heb het aan de psychedelisch gestreste en door hallucinogene drugs verwarde realiteitszin van mijn vader, Leon Alexander David, te danken dat ik jarenlang een verband heb gelegd tussen Neil Armstrongs eerste stap op de maan en tante Mauds eerste stap in het huis van mijn grootouders.

Mijn ouders zaten destijds in hun laatste semester psychologie en biologie en woonden met mij, ik was drie, in een kamer op zolder die, voor zover ik op kinderfoto's kan onderscheiden, slechts bestond uit een grote matras. Tot ergernis van mijn opa en oma wilden mijn ouders geen eigen appartement huren, maar de wereld verbeteren. Hun leven bestond grotendeels uit discussies en demonstraties. En hallucinaties. En hun taal was doorspekt met woorden als 'subcultuur' en 'anticultuur'. Mijn vader was in die tijd erg onder de indruk van de poëzie der metamorfose en trad op feestjes graag op als magiër. Mijn moeder Leonie, koosnaam: Leo, weigerde echter als assistente op te treden. Ze peinsde er niet over de vriendelijk glimlachende handlanger te zijn van iemand die illusies voortbracht ten koste van de illusie van het vrouwelijke op zich.

'Zolang er in het circus alleen maar vrouwen in de maanraket worden geschoven, terwijl er in het echt alleen mannen naar de maan vliegen, geef ik niet op,' zei ze, en ze ging tekeer over maagden die op allerlei manieren op het toneel werden doorgezaagd.

Voor mijn vader bleven zijn optredens als magiër een hoogst politieke aangelegenheid en een duidelijk statement tegen het establishment, dat, evident oliedom als het was, niets te maken wilde hebben met abracadabra.

Volslagen hilarisch in dit verband is wel dat uitgerekend mijn familie de opzienbarendste gebeurtenis van de eeuw miste, omdat mijn ouders op een afgelegen plekje in de tuin experimenteerden met een paddenstoelencultuur en er per ongeluk een paar van die paddenstoelen in de ragout van oma waren beland.

Mijn vader, die heel veel ragout had gegeten, zat de dag erna nog tamelijk verward met onze ruwharige teckel Sepp en zijn goocheldoos op de vloer trucjes te oefenen. Hij mompelde onverstaanbare formules en zwaaide met zijn handen door de lucht alsof hij aan het dansen was op Led Zeppelins *Whole Lotta Love*. Om kort te gaan: een paar uur nadat Neil Armstrong was wezen wandelen op de maan, had mijn vader onze ruwharige teckel laten verdwijnen. Geen idee hoe. Sepp was na het commando 'Hop!' niet zoals gepland de dubbele bodem van de goocheldoos uit komen springen, maar verdwenen.

Mijn vader verdween daarna ook. Naar Charlottenburg. Om het geld voor de goocheldoos en onze teckel terug te eisen. De verkoper wees op de algemene leveringsvoorwaarden en de kleine lettertjes op het garantiebewijs en adviseerde het dierenasiel te bellen. Sindsdien is de goocheldoos een schoenpoetsdoos en Sepp een gevoelig punt in ons familieverhaal. Ook de vrolijke I LOVE AUSTRALIA-T-shirts en de didgeridoos die Maud had meegebracht boden geen troost.

Om ons af te leiden speelde Maud ter begroeting een diep aanhoudende toon op het vreemde instrument, dat net als de alpenhoorn behoort tot de categorie aerofonen. Daarop sloeg onze blijdschap Maud weer te zien om in een soort radeloze ontspanning en ten slotte in een discussie, omdat oma er een probleem mee had dat de stam van haar didgeridoo door kleine, hardwerkende termieten was uitgehold.

Mijn moeder kauwde ondertussen dromerig op het mondstuk van bijenwas dat 'sugarbag' heet en begon – toen de discussie uit de hand dreigde te lopen – over de hoofdonderwerpen in de literatuur met betrekking tot sociale insecten. Ze betreurde het dat de geïnspireerde holistische ideeën in de biologie vaak door reductionistische experimentele uitgangspunten opzij werden gezet en was van mening dat het belangrijke werk van de termieten niet mocht worden geboycot. Ze besloot onmiddellijk haar ademhaling te veranderen en een didgeridooworkshop te initiëren in Kreuzberg. En ze ging voorbij aan het feit dat in Australië alleen de mannen van de stam het instrument mochten bespelen. In plaats daarvan vroeg ze Maud om een Australisch lied in te zetten dat zij met haar didgeridoo zou begeleiden.

Once a jolly swagman camped by a billabong under the shade of a coolibah tree, and he sang as he watched and waited 'til his Billy boiled: 'Who'll come a-waltzing Matilda, with me?'

Along came a jumbuck to drink at the billabong. Up jumped the swagman and grabbed him with glee. And he sang as he stowed that jumbuck in his tucker bag: 'You'll come a-waltzing Matilda, with me. Waltzing Matilda, waltzing Matilda. Who'll come a-waltzing Matilda, with me?' And he sang as he stowed that jumbuck in his tucker bag: 'You'll come a-waltzing Matilda, with me?'

Up rode the squatter, mounted on his thorough-bred, down came the troopers, one, two, three: 'Whose is that jumbuck you've got in your tucker bag? You'll come a-waltzing Matilda, with me? Whose is that jumbuck you've got in your tucker bag? You'll come a-waltzing Matilda, with me?'

Up jumped the swagman, leapt into the bil-labong: 'You'll never catch me alive,' said he. And his ghost may be heard as you pass by the billabong: 'Who'll come a-waltzing Matilda, with me? Waltzing Matilda, waltzing Matilda. Who'll come a-waltzing Matilda, with me?' And his ghost may be heard as you pass by the billabong: 'Who'll come a-waltzing Matilda, with me?'

Toen moeder er eindelijk in slaagde een krachteloos 'pffft' uit haar didgeridoo te krijgen, vroeg tante Maud of we de tekst ondanks haar sterk Australische accent hadden begrepen.

'Het ging om iets magisch … een roadmovie … een magische roadmovie,' opperde mijn vader.

Mijn moeder nam aan dat Swagman een goede geest was en Matilda zijn muze. En Billy het kind van hun liefde, Squatter de hond en billabong een rookinstrument. En dat Truckabag de auto was waarmee Swagman, Matilda, Squatter en Billy door Australië reden.

Tante Maud legde uit dat 'swagman' een zwerver, 'Matilda' de naam van zijn knapzak, 'billy' een ketel, 'squatter' een schapenfokker, 'billabong' een drinkplaats en 'tucker bag' een proviandkist is en dat Australiërs kilometers ver rijden om met hun billy een billabong te vinden.

Na het eten liet Maud foto's zien van haar Australische leven en ze herinnerde ons er telkens opnieuw aan hoe belangrijk Armstrongs stap voor ons was. Maar mijn vader wilde geen direct verband leggen tussen hemzelf en de paslengte van Armstrong. Hij maakte zichzelf de grootste verwijten, want hij vreesde dat Sepps verdwijning catastrofale gevolgen zou kunnen hebben voor onze homogene familiestructuur. En hoe Maud het ook probeerde, we kwamen steeds weer terug op Sepp.

Laat die avond zat mijn vader nog lang bij het kampvuur in de tuin. Hij dronk Australisch bier. Vlak na middernacht haalde hij mijn moeder uit bed, omdat hij meende boven de Wannsee een door de maan verlicht onbekend vliegend voorwerp te hebben ontdekt: klein, behaard en met hangende draagvlakken.

'Je gaat me toch niet vertellen dat je Sepp hebt gevonden?' vroeg moeder slaperig en ze staarde de heldere nachtelijke hemel in.

Nee, dat wilde mijn vader niet bevestigen. Het enige wat hij kon zeggen was dat het vliegende voorwerp haast had gehad.

In de verhitte discussie die mijn ouders daarop tot in de ochtenduren voerden, ging het om de ideologie van verdwijning en vinden en de vraag of drugs en de daaruit resulterende waarneming van het onmogelijke de aantrekkingskracht konden beïnvloeden. Een politieke achtergrond werd na grondige overwegingen uitgesloten, hoewel je je daar bij een teckel best iets bij kon voorstellen.

De didgeridooworkshop die mijn moeder een paar weken later organiseerde was binnen enkele dagen volgeboekt. Helaas bleef het bij een eenmalige bijeenkomst, want de ontmoeting van Berlijnse Aboriginals eindigde in een fiasco. De deelnemers stortten zich in trance op elkaar, waarna de politie de didgeridoos als mogelijk manipulatiemateriaal confisqueerde.

Mijn vader meed sinds Sepps verdwijning drugs, workshops en feestjes en ging in plaats daarvan regelmatig naar de kerk om lange dialogen te houden met de heilige Franciscus van Assisi. Verliezen en vinden is in het evangelie een vaak voorkomend thema.

Mijn grootouders rooiden de paddenstoelencultuur, tante Maud trok in de woning boven de garage en mijn ouders verhuisden naar München, waar mijn vader een baan als assistent in opleiding aan de universiteit had aangenomen en mijn moeder drie dagen per week als psychiater in een ziekenhuis kon werken. Toen ik vier werd, werd Kareltje geboren. Het zou vele jaren duren voor ik het huis van mijn opa, oma en Maud terug zou zien.

2

Nadat ik onze bagage onder dek heb verstouwd, duurt het even voor ik Maud aan de reling ontdek. In haar witte trenchcoat, die ze zoals altijd strak om haar taille heeft geknoopt, ziet haar smalle silhouet eruit als dat van een jonge vrouw. Haar vertrouwde hoofddoek heeft ze niet onder haar kin maar in haar nek vastgeknoopt, en het is of ik terugga in de tijd, naar 1978, toen ik terugkeerde naar het huis van mijn grootouders, om op die vreemde plek van onthaasting een jaar door te brengen dat mijn leven zou veranderen.

Daarvoor was ik veertien dagen aan de Adriatische kust geweest. Een soort afscheidscadeau, omdat mijn ouders voor 365 dagen naar Zwitserland verhuisden. Mijn vader had aan de universiteit van Zürich een professoraat als psycholoog en humoronderzoeker aanvaard. Hij wilde de lach onder de loep nemen en in een onderzoeksproject vaststellen waarom het eenvoudige 'haha' al miljoenen jaren ongewijzigd bestond en niet onderhevig was aan modeverschijnselen. De hele wereld lacht 'haha', ondanks de verschillende talen. Haha, een grap, een wonder.

Mijn vader, volgens mij een man zonder humor die zijn psychedelisch hallucinogene fase relatief kreukvrij had doorstaan, vond het interessant wat er tijdens het lachen in de hersenen gebeurt. Hij verlangde ernaar de lach te begrijpen en hij wilde onderzoeken waar mensen vrolijk van worden. In hoeverre geslacht en status de lach beïnvloeden. Waarom mensen krom liggen van het lachen of giebelen achter hun hand. Waarom mensen geen pijn voelen als ze lachen. En waarom dit reflexpatroon er in onze hersenen voor zorgt dat mensen op het moment dat ze lachen een geringere controle over hun ledematen hebben. Wat er wederom toe leidt dat de mens, om de controle niet te verliezen, het gecontroleerde en kunstmatige lachen heeft uitgevonden. Om dat beter te begrijpen, moest mijn vader ook onderzoek doen op fotomodellen en stewardessen. Zij beheersen het typisch onechte lachen bijzonder perfect. En dat bracht mijn moeder er weer toe mijn vader naar Zürich te vergezellen. Zij vond het namelijk helemaal niet om te lachen.

Ik zat destijds op het gymnasium. Een Zwitserse school was geen optie en Kareltje was nog te klein, dus werd ik zonder pardon geparkeerd bij mijn opa en oma.

Ik zal nooit vergeten hoe ik op de laatste dag van de reis hand in hand met mijn moeder in kniediep water stond in een kleine baai in de buurt van Triëst en we net deden of mijn vader, die met zijn super 8-camera voor ons in het zand lag, er niet was. Hoewel hij mijn moeder voortdurend vroeg om haar hand niet zo onhandig boven haar ogen te houden. Hij wierp dan zo'n onflatteuze schaduw op haar gezicht.

Mijn ouders waren verstrikt in een heftige discussie over de kwestie of een schaduw uitdrukking van levendigheid of alleen maar storend was, toen ik met uitgestrekte arm naar het water wees. Daar verdween een rode badmuts op nog geen honderd meter van ons vandaan na meerdere heftige op-en-neerbewegingen en een indringende, door merg en been gaande gil onder water.

'… Dat was een haai. Een haai, Leon. Zag je dat? Dat was een haai …' stamelde mijn moeder, waarna mijn vader 180 graden om zijn eigen as rolde en een in de namiddagzon glinsterend spiegelglad wateroppervlak filmde.

Mijn moeder pakte zo snel als ze kon haar gebloemde badstof tas, en terwijl ze me aan het handje over het hete zand meetrok, siste ze woedend: 'Dat is het! Dat is nou precies waar ik me zo over opwind. We zien nooit het geheel! … We zien altijd maar een fragmentje. Een piep-klein deel …'

Mijn vader verzocht mijn moeder om rustig te blijven en wees op de mogelijkheid van een shocktoestand, waarna ik begon te gillen als een speenvarken, omdat het hete zand onder mijn voetzolen brandde en ik het haatte als mijn moeder me achter zich aan trok.

De volgende dag hoorden we dat een Australische vrouwelijke toerist was opgevreten door een grote haai. Ze had gedacht dat de Middellandse Zee ongevaarlijk was. De politie benadrukte dat het zelden voorkwam dat zulke grote haaien in het kielzog van afval in zee gooiende cruiseschepen verdwaalden in de bocht van Triëst. Men was op zoek naar de haai en eventuele resten van de toerist. En het bureau voor toerisme wees erop dat de Adriatische Zee een onschuldige en familievriendelijke zee was.

Biotopen van haaien, krokodillen, leeuwen, tijgers, piranha's en wurgslangen zijn sindsdien taboezones wat mij betreft en oceanisch diepzeeduiken vind ik net zo onvoorstelbaar als voettochten door de jungle, safari's en wildwaterkanoën.

Mijn laatste woord mag geen langgerekt 'Aaaaahhh'

zijn voor ik door messcherpe tanden word vermalen en door een darm geperst als visvoer eindig of op droog steppegras terechtkom. Zo stel ik me mijn uiteinde echt niet voor! Ik ben van plan deze planeet onverteerd en in één stuk te verlaten, waarbij de enscenering van mijn begrafenis een wezenlijke rol speelt.

Een tijdje ben ik van plan geweest mijn levenloze lijf bij een druk van 50.000 tot 60.000 bar en een temperatuur van 1.800 tot 2.000 kelvin tot koolstof te laten kristalliseren om het daarna tot een diamanten structuur te laten omvormen. Met een laser was zelfs een afscheidsboodschap in microschrift in mijn briljant verdichte overblijfselen mogelijk geweest. Maar omdat de generale repetitie van mijn crematie nogal ingewikkeld en alleen door erg dure en omslachtige special effects mogelijk zou zijn geweest, en ik ook niet kon berusten in het feit dat ik vroeg of laat op de zwarte markt zou worden ingeruild voor klinkende munt, nodigde ik mijn familie en vrienden vlak voor mijn achttiende verjaardag uit in gepaste kleding de generale repetitie bij te wonen van een traditionele begrafenis.

Mijn opa was de enige die mijn uitnodiging niet negeerde. Pas toen ik dreigde de mensen die niet bij de generale repetitie zouden zijn ook niet uit te nodigen voor de première, ontstond er beweging. Zo kwam op een zaterdagmiddag in mei 1984 een kleine rouwgemeenschap samen in de tuin van mijn grootouders, waar ik met een bord op mijn buik met A.U.B. NIET MET DE DODE SPREKEN erop feestelijk opgebaard lag in mijn imposante doodskist van Zwabisch kersenhout. Mijn ouders ontbraken. Zij deden een zuiveringskuur in Beieren.

Het tentoonstellingsstuk, dat behalve een schrammetje

op het deksel waar sowieso een bloemstuk op zou liggen helemaal gaaf was, had ik voor de halve prijs op de kop getikt. Nadat ik de oorspronkelijk champagnekleurige voering had vervangen door een psychedelisch spiraalpatroon dat de ondoorgrondelijke dieptes van het heelal moest symboliseren, zag ik er met mijn perfect bijpassende oranjegele jurk en de talloze gele bloemetjes in mijn haar echt prachtig uit.

Omdat ik geen priester had gevonden om de mis op mijn proefbegrafenis te lezen, had ik Jean Müller gevraagd, een laatstejaarsstudent van de toneelschool. Met hem studeerde ik gedurende twee weekeinden mijn grafrede woord voor woord in. Jean was een artiestennaam ter ere van Jean Gabin, Müllers grote voorbeeld. Het talent en de allures had hij echter van Jean Harlow en het duurde een hele tijd voor ik hem ervan kon overtuigen de mis zo te houden dat er aan het eind geen denderend applaus zou klinken.

'Stel je voor dat je doodgaat en je rouwgasten applaudisseren?' zei ik tegen hem.

'Waarom niet?' antwoordde Jean, en hij wees op de positieve-energie-impuls die zo'n applaus kon veroorzaken.

Daarop voegde ik een artikel toe aan zijn contract waarin stond dat zijn honorarium met 50 procent zou worden gekort als er zou worden geapplaudisseerd. Dat had het gewenste effect.

Toch vond ik, toen ik sneeuwwit geschminkt en met bleke lippen in mijn kist lag en hoorde hoe Jean Müller mijn leven de revue liet passeren, dat hij wel een beetje meer zijn best kon doen.

'Stop! Zo kan het niet, hoor!' riep ik en ik kwam overeind uit mijn kist.

Aan mijn linkerzijde beet Jean Müller verlegen op zijn smalle onderlip. En terwijl er een opgewonden gemompel opging in de onder bloeiende kersenbomen en op tuinstoelen en -banken zittende kleine rouwgemeenschap, prevelde oma Amalie, die – afhankelijk van de weersomstandigheden – soms leed aan een extreem slecht kortetermijngeheugen: 'O! Een wederopstanding!'

Daarna viel ze opzij van haar stoel in de schoot van meneer Röggenmeier, die verstijfde van schrik, wat mijn verschijning definitief iets spookachtigs verleende.

Terwijl oma eerst in stabiele zijligging werd gelegd en daarna met haar benen omhoog en met klapjes op haar beide wangen weer bij haar positieven werd gebracht, sprak ik in de hierdoor ontstane pauze een ernstig woordje met Müller achter het achter mijn kist opgehangen zwarte gordijn.

'Müller, zo kan het niet! Ik laat jou mijn leven niet kapotmaken, alleen omdat je geen applaus krijgt!' snauwde ik woedend, en ik ijsbeerde zo kwaad heen en weer dat er allemaal bloemetjes uit mijn haar vielen. 'Een beetje meer enthousiasme, alsjeblieft! Mijn jeugd was weliswaar bijzonder, maar gelukkig, en dat ik kinderloos en ongehuwd sterf is mijn en niet jouw probleem. Een beetje meer optimisme dus!'

Ik wierp een blik op mijn oma, die inmiddels weer op haar stoel zat, en keerde terug naar mijn kist.

Müller deed na mijn kritiek echt beter zijn best, en toen hij aan de hand van kleine anekdotes mijn talrijke positieve eigenschappen in het juiste licht plaatste, hoorde ik gesnik. Ik was bereid om even later te worden neergelaten in mijn graf.

De generale repetitie was niet alleen voor mij, maar ook voor Müller een succes. Hij maakte nog in zijn priestergewaad gehuld met meerdere aanwezigen een afspraak en onderhandelde over zijn gage.

Mijn opa had me op het idee van een proefbegrafenis gebracht. Hij had me enthousiast verteld over een museum in Wenen waar je de meest uiteenlopende manieren van begraven kon zien, en allerlei soorten doodskisten. Opa gaf de voorkeur aan de goedkope, want plaatsbesparende verticale manier van begraven voor grote families met een klein graf. Maar eigenlijk was zijn droom een waardig afscheid op ooghoogte: een luxueuze begrafenis in een peperdure kist. En ik was door het dolle over een pneumatische lijkbuizenpost waarmee ik onderaards het graf in kon worden geschoten. Wat een afscheid!

Gedurende de lange, druilerige rit van Triëst naar Berlijn discussieerden mijn ouders geanimeerd over Margaret Thatcher en of ze met haar conservatieve partij goed of slecht was voor Groot-Brittannië, en of massademonstraties tegen de definitieve opslagplaats van nucleair afval in het Nedersaksische Gorleben ook vanuit Zürich te organiseren waren. Ik kon ondertussen aan niets anders denken dan aan die spartelende rode badmuts. Ik associeerde niet het gegil met dit huiveringwekkende beeld, maar de stilte boven het water toen het rode puntje was verdwenen.

Om me af te leiden bedacht mijn moeder een variant van het spelletje fluistertje. Terwijl een van ons zweeg, moest de ander raden om welk soort stilte het ging. Zo leerde ik stilte van stilte te onderscheiden. In de toekomst wilde ik er beter op letten hoe de gezichten van mensen veranderen als ze niet weten wat ze moeten zeggen en toenemend paniekerig en beschroomd naar de juiste woorden zoeken. Een licht trillende bovenlip. Een nauwelijks waarneembare zenuwtrekking van het puntje van de neus. Een haastig gebaar naar de kin. Een schaapachtig glimlachje.

Een paar kilometer van onze bestemming verwijderd zei mijn moeder dat de gevaarlijkste stilte de stilte in onszelf is. Als die stilte groter wordt dan verwacht, kan ze groot ongeluk veroorzaken. En toen vertelde vader over mevrouw Pfister en haar man Theodoor.

Zoals elk jaar had oma dit echtpaar vlak voor kerst uitgenodigd op de thee. En zoals altijd prezen ze oma's rozijnencake en de ijzerhardthee uit opa's kruidentuintje. Alleen bleef deze keer oma's verlossende 'Ach, dat is toch niets bijzonders …' uit, omdat ze in slaap was gevallen. Bedeesd zetten de Pfisters hun ophemelarij voort. Ze maakten complimentjes over de tafel en de kerstversiering die overal in huis voor een feestelijke stemming zorgde. Ze loofden de dikke voetmat voor de huisdeur en hoe mooi de gevel geverfd was. En hoe prachtig je op de tuin uitkeek. Ze zeiden zelfs iets aardigs over het scheve tuinhek.

Grootvader peinsde er niet over om te reageren op hun gevlei. Hij keek zwijgend uit het raam, waardoor de stilte zo oppermachtig werd dat die arme meneer Pfister hartkloppingen kreeg en met rollende ogen steunde: 'Zeg toch iets!', voor hij in elkaar zakte.

Mijn vader vertelde dit eigenlijk droevige verhaal alsof het een mop was, en nadat we langer dan nodig was hadden gelachen, streek mijn moeder met haar wijsvinger over de rug van mijn hand en zei: 'We zijn er bijna.'

En ik lachte toen onze Volvo op het smalle kiezelpad naast een enorme, het zicht op de Wannsee blokkerende vlierstruik tot stilstand kwam. Alsof zij ook een goede mop had verteld.

Gustaaf August en zijn vrouw Amalie zaten al op de trap voor hun huisje op ons te wachten. Het leek wel een plaatje. Oma zwaaide met haar rood-wit geblokte zakdoek en opa, in zijn versleten laarzen, zijn blauwe tuinbroek en met zijn Tiroolse hoed op, hurkte voor me neer. Die hoed was nog een souvenir van zijn huwelijksreis, had een vreemd groen wollen bandje en was door de jaren heen uit vorm geraakt. Hij leek nu meer op een slappe hoed en hij hing over opa's voorhoofd heen, zodat er een geheimzinnige schaduw over zijn ogen lag. Ik rende in opa's open armen en verstopte mijn tranen onder de rand van de hoed.

Om deze tijd van de dag zaten de rolluiken op de eerste verdieping van het donkergroen geverfde huis altijd dicht. Ook de houten rolluiken op de begane grond waren halfgesloten, zodat de late middagzon de tapijten en het behang niet zou verbleken. Alleen in de keuken, waar we aan de rechthoekige tafel zaten die opa van de resten van een in de storm ontwortelde boom had gemaakt, stond de terrasdeur altijd wijd open. Door die deur kon ik het meer zien. Ik hoorde het klapperen van de zeilen en het gekwaak van de eenden. En ik at pruimentaart.

Op de televisie, die op een commode tussen de terrasdeur en het raam stond, was een discussieprogramma over de seksuele revolutie.

Toen er een foto werd getoond van een naakte commune, zei oma: 'Afschuwelijk. Het zijn net mieren', en ze sneed de taart op haar bordje in even grote stukjes.

Ik vond de foto best leuk. Maar oma hield niet van naakte mensen, ook niet van langharige overigens, en ze maakte mieren verantwoordelijk voor de seksuele revolutie, omdat er in hun mierenhopen alleen maar platgetreden paden bestonden en geen heteroseksuele structuren.

Toen het begon te schemeren en Kareltje in slaap was gevallen, namen mijn ouders afscheid. En terwijl mijn vader bij het keren bijna het tuinhek omverreed, ontweek ik de hypnotische je-zult-het-goed-hebben-blik van mijn moeder en keek ik omhoog de nachtelijke hemel in. En daar ontdekte ik een vrouw in een trenchcoat, die op het platte dak van de dubbele garage, gebouwd aan de smalle linkerkant van het huis, op een klapstoel van witgelakt hout zat en door een verrekijker de hemel observeerde. Niemand leek haar bijzondere verschijning op te merken. En zij negeerde ons ook. Ze keek onverstoorbaar naar de hemel, terwijl de afscheidsceremonie aan haar voeten zich tot een kleine tragedie ontwikkelde omdat oma huilde, mijn moeder begon te huilen, wat opa tot tranen toe ontroerde, wat op zijn beurt zijn zoon weer aan het huilen maakte. De vrouw schreef iets in een schriftje op haar schoot. En ik vergat van verbazing te huilen.

Een paar minuten later verdwenen mijn ouders met Kareltje in een stofwolk, en nadat oma naar binnen was gegaan, vroeg ik opa zachtjes: 'Wie is dat?'

'Wat?' zei opa en hij veegde een traan weg met zijn mouw.

'Daarboven ...' zei ik en ik keek naar het dak van de garage.

'O, dat! Dat is je tante Maud. Weet je dat niet meer?' vroeg opa, en hij stopte zijn hemd in zijn broek, ging naar binnen en riep boos: 'Amalie, het kind moet naar bed!' Ik stond ondertussen versteend en kon mijn ogen niet van tante Maud afhouden, die verlicht door een halvemaan door een grote telescoop gluurde.

Die nacht lag ik niet in het veel te grote bed, maar op de houten vloer. Op mijn buik. Met mijn armen wijd.

Alsof ik vloog. En terwijl ik me voorstelde hoe de Australische vrouw in de buik van de haai door de Middellandse Zee zwom, zag ik de maan en ik wenste vurig dat ik nooit opgegeten zou worden. Daarna deed ik mijn ogen dicht en hoopte ik ooit, één keer in mijn leven, een eigen wonder mee te maken. Ik kon niet bevroeden dat het op het dak van de garage al op me zat te wachten.

3

De volgende ochtend werd ik gewekt door een snerpende gil. Ik rende naar het raam om te kijken of tante Maud van het dak was gevallen, maar ik kon haar noch op het dak, noch op het grindpad daaronder ontdekken. In plaats daarvan vond ik oma Amalie, die helemaal overstuur op haar knieën in de gang tussen keuken en woonkamer zat. Lijkbleek en in nachtjapon en pantoffels. Met haar rechterwang vlak boven de vloer keek ze strak naar een plek onder de boekenkast in de woonkamer. En hoewel mijn grootvader vlak naast haar stond, riep ze: 'Een mier! Je weet wat dat betekent, Gustaaf!'

Opa geeuwde, krabde over zijn stoppelige kin en zei bedachtzaam: 'Ja, Amalie. Dat is een mier. Een rode bosmier op ontdekkingsreis.' En hij verdween de badkamer in.

Ik hurkte naast oma neer en observeerde hoe het diertje probeerde een enorme koekkruimel tussen de franjes van het tapijt vandaan te trekken. Toen de mier een paar seconden later onder het tapijt was verdwenen, drupte er een traan uit oma's oog. Hij vormde een piepklein plasje op de stenen vloer.

Terwijl oma de vloer droogdepte met de zoom van haar nachthemd, mompelde ze iets onverstaanbaars. Daarna liep ze naar opa toe, die inmiddels in de keuken aan de koffie zat en dromerig de tuin in staarde.

Hij beantwoordde haar verwijtende blik.

'Je denkt toch niet serieus dat die mier van mijn composthoop komt? Die mier is niet mijn fout!'

'Welles, Gustaaf!' zei Amalie. 'Ook die mier!' En tijdens het dekken van de ontbijttafel voorspelde ze dat we een chaotische tijd tegemoet gingen die ons als een hoop termieten zou overvallen. Ongecontroleerd en onophoudelijk was het nog maar een kleine stap van de bloeiende eucalyptusboom naar de uitgeholde didgeridoo.

Ik was op de vloer blijven zitten en keek naar oma die steeds kwader werd. Opa hield helemaal geen rekening met haar. Dacht alleen maar aan zichzelf. Zij deed al het werk. Werk, werk, werk. En hij zich maar ontspannen met zijn composthoop. Het was net of er een verband bestond tussen oma's verwijten en opa's wiebelende rechtervoet terwijl hij zijn benen over elkaar had geslagen. Het was alsof hij op die manier zijn gedachten de vrijheid in schopte. Hoe langer ik naar die voet keek, hoe duidelijker het me werd dat horizontaal wiebelen 'nee' betekende en opa, bijvoorbeeld op de vraag of hij soms liever met zijn composthoop getrouwd was, verticaal wiebelend antwoordde met 'ja'.

Toen mijn dampende havermoutpap op tafel stond, beëindigde oma haar gesprek met de voet van opa en ik ontdekte het miertje met zijn kruimel tussen de boekenkast en de deur. Onopvallend haalde ik mijn pepermuntblikje uit Triëst uit mijn broekzak. Ik stak de twee laatste pepermuntjes in mijn mond en stopte de mier samen met de kruimel in het blikje. En toen ik bij oma aan tafel ging zitten vond ik de mier klein en onbeduidend, terwijl ik groot en machtig mijn havervlokken oplepelde en terloops informeerde naar tante Maud.

Oma betreurde het dat Maud zo lang sliep en sowieso

een beetje vreemd was, omdat ze niet veel zei. Soms zelfs helemaal niets. En toen opa mijn teleurgestelde gezicht zag, haastte hij zich eraan toe te voegen dat Maud uiterlijk voor het middageten zou verschijnen. Daarna liep hij met mij naar het achterste gedeelte van de tuin, waar hij naast een oude, groene, golfplaten schuur een heuvel beklom. Lusteloos porde hij wat tussen de vermolmde takken en verlepte bladeren. Daarna ging hij het huis weer in om zich te verzoenen met oma. En om uit te leggen waarom hij zoveel tijd besteedde aan de ontbinding van organische materialen door kleine organismen. Ze kon niet begrijpen dat die bult in de tuin zo belangrijk voor hem was. De omgang met de vaste regels in het ontbindingsproces ontspande hem. Het was van groot belang dat de bladeren pas gebruikt werden als ze verlept waren. Snoeiafval en onkruid in verschillende grootte moesten worden gemengd met rijshout, zodat de composthoop goed geventileerd werd, en keukenafval mocht geen pesticide bevatten, want alleen al de schil van tropisch fruit kon de ontwikkeling van de micro-organismen storen. Opa was van plan geweest het afval daarom jarenlang te bewaren in een soort tussenopslag, maar oma weigerde pertinent de bijkeuken hiervoor ter beschikking te stellen.

Ik klom in de kleinste van de drie appelbomen die in een wei voor het huis een driehoek vormden en zag door de open tuindeur hoe opa probeerde oma te omhelzen terwijl zij net deed of ze het niet merkte en zogenaamd verwoed de tafel afboende.

Opeens klonk er een knetterend lawaai. Maud was eindelijk opgestaan, en nadat ze de zware houten rolluiken had opgetrokken, stapte ze op blote voeten en gekleed in een gestreepte pyjama naar buiten.

'Hallo, Martha. Heb je lekker geslapen?' vroeg ze toen ze me in de boom ontdekte.

'Prima, dank je,' zei ik op de automatische piloot.

'Echt?' vroeg Maud.

'Oké, niet echt …' gaf ik toe en ik vond tante Maud best nieuwsgierig en helemaal niet zwijgzaam.

'Hoe oud ben je eigenlijk?' vroeg ze door de takken van de knoestige appelboom heen de wolkeloze augustushemel in.

'Twaalf. Op 16 september word ik dertien,' antwoordde ik.

Maud knikte instemmend terwijl ze de pier op liep. 'Dat is over vijfendertig dagen.'

'Vierendertigenhalf,' corrigeerde ik, en ik klom snel naar beneden om ook de pier op te lopen, die een goede tien meter het water in stak.

'Weet jij waarom opa compost zo spannend vindt?' vroeg ik toen we naast elkaar op de houten planken zaten en onze benen in het water lieten bungelen.

'Geen idee,' zei Maud en ze grijnsde.

Ik zei zo volwassen mogelijk: 'Ik heb gezien hoe een vrouw door een haai werd opgevreten.'

'O …' zei Maud en ze grimaste.

'Verander je als je wordt opgegeten in datgene waar je door bent opgegeten?' vroeg ik.

Maud antwoordde na een tijdje: 'Waarom zijn de bananen krom? We zijn niet alleen met fruit en groente best nauw verwant. Alles bestaat uit atomen die zo klein zijn dat ongeveer een half miljoen ervan naast elkaar op een rijtje achter een haar zouden passen. Misschien heeft een miljard van je talrijke atomen ooit tot Shakespeare en een ander miljard tot Boeddha, Beethoven of een andere historische figuur behoord.' En met het topje van haar wijsvinger sloot ze behoedzaam mijn openstaande mond door mijn kin een stukje naar boven te duwen.

'Ook bij Kareltje?' vroeg ik ongelovig.

'Ook bij Kareltje,' herhaalde Maud. 'Als we doodgaan lossen onze atomen zich op en vinden ergens anders een nieuwe bestemming. In een blad, een dauwdruppel, een worm of een ander mens.'

'In een haai?'

'Ook in een haai,' zei Maud, en ze keek naar het water waar een snoekbaars langs zwom.

Ik had nauwelijks iets begrepen van wat Maud had gezegd, maar ik vond haar geweldig. En helemaal niet vreemd of zwijgzaam. Nadat we de snoekbaars en een paar eendjes hadden gevoerd met droog brood, lunchten we allemaal samen. Daarna verdween Maud, nog steeds in pyjama, naar de garage, maar niet zonder mij te hebben uitgenodigd.

In Mauds garage rook het naar oude boeken en benzine. Ik kon alleen door de op een kier staande deur de slaapkamer in gluren. Die zou een geheim blijven, maar de deur naar de woonkamer stond wijd open.

De muren hingen vol foto's met vooral Einstein en leden van mijn familie erop. Overal lagen boeken: op tafel, op de grond en in een boekenkast naast de deur. En er was een surfplank van de eerste generatie aan de muur gespijkerd, waar een piano onder stond. In het midden van de kamer stond een oude donkergroene Mercedes met open dak geparkeerd.

'Daar ging je overgrootmoeder soms een eindje in rijden. En dan liep je overgrootvader met een witte vlag voorop om de mensen te waarschuwen,' vertelde Maud, en ze nodigde me uit om naast haar in de auto te komen zitten. Ze opende het dashboardkastje en pakte er een reep melkchocola uit. 'Uit Zwitserland. Wil je een stuk-je?'

Ik knikte en tante Maud brak een hele rij chocola alleen voor mij af!

'Zullen we op reis gaan?' vroeg Maud.

Ik antwoordde verrast: 'Ik mag nog niet eens alleen met de bus, heeft papa gezegd.'

'De volwassen wereld is een wezenlijk groter mysterie dan het universum. Goed, dan gaan we op reis in onze fantasie!'

Maud haalde een sterrenkaart uit het dashboardkastje en vroeg: 'Waar gaat de reis naartoe? Naar de maan? De Kleine Beer? Of naar een ander sterrenstelsel?'

En terwijl we door de oneindige wijdte van het universum toerden, feliciteerde Maud me met mijn onvoorstelbare geluk. Want van de miljarden en nog eens miljarden biologische soorten die ooit hadden bestaan, was 99,99 procent uitgestorven. En wij leefden nog!

Ik leerde dat ik de afgelopen 3,8 miljard jaar niet van zuurstof had gehouden. Ik had vinnen, ledematen en vleugels gehad, eieren gelegd, de lucht met gespleten tong geïnhaleerd, een gladde huid en een vacht gehad, onder de grond en in een boom gewoond, en was qua grootte alles tussen een olifant en een muis geweest.

'Daar drinken we op,' zei Maud en ze haalde een zakflacon uit de zak van haar rok. Ze hief de fles op mijn gezondheid en nam een slokje. Ik sloeg haar aanbod af. 'O ja, je bent nog maar een kind,' zei Maud verontschuldigend en ze trok de handrem aan.

De Andromedanevel was imposant, tenminste op de foto die Maud me liet zien. Ik straalde galactisch, want mijn tweede dag in Kladow was nog leuker dan de eerste.

'Tot morgen,' zei Maud toen ze 's avonds het dak van de garage op wilde klimmen, en ik slenterde met de mier in mijn broekzak naar huis. Ik nam me voor hem de volgende ochtend op de composthoop vrij te laten.

4

Als Maud op de universiteit was of ongestoord wilde werken, gingen de dagen in Kladow maar traag voorbij. Lusteloos hing ik na schooltijd rond in de tuin of in huis. Ik doodde de tijd met lezen of vluchtte in mijn fantasie. Ik had destijds dolgraag op de duizend vierkante kilometer grote Ponderosa Ranch gewoond. Ook als het bestaan als enige vrouw onder cowboys zo z'n nadelen had en ik er als schoondochter van veefokker Ben Cartwright mee overweg moest kunnen dat hij drie zoons van drie overleden vrouwen had. Mijn vrees dat ik na de geboorte van de eerste kleinzoon het volgende sterfgeval kon zijn, belastte op zwoele dagen mijn huwelijk met de romantische driftkop Little Joe, want in tegenstelling tot mijn moeder was ik een gepassioneerde huisvrouw en meed ik elke vorm van discussie, hoewel we midden in de Amerikaanse Burgeroorlog zaten. Midden negentiende eeuw dus. Ik wilde een perfecte echtgenote en moeder zijn, zwaaide de huishoudelijke scepter, zorgde voor de jonge dieren en maaide in mijn schaarse vrije tijd het weidse prairielandschap.

Dat het in mijn fantasie zo ver kon komen, had ik te danken aan het feit dat mijn grootouders behalve *Bonanza* elke vorm van televisiekijken hadden verboden en de eindeloze dagen zonder Maud zo saai waren dat ik zelfs de harige benen van onze gymjuf juffrouw Lestikow bewonderde en per se ook zulke behaarde benen wilde hebben – om van haar oksels nog maar te zwijgen – omdat ik eindelijk volwassen wilde zijn.

Ik had in die tijd graag een stukje van de hemel willen proeven, alleen om te weten hoe 'oneindig' smaakt en om te begrijpen wat 'oneindig' betekent, want er was zo oneindig veel wat ik in die tijd niet kon begrijpen en graag zou hebben geproefd, om het door te slikken of uit te spugen. De hemel boven Kladow zou ik nooit hebben uitgespuugd. Ik hield van die hemel, die zich weerspiegelde in het wateroppervlak van de Wannsee en het zijn kleur verleende. Blauw. Grijs. Groen. In alle schakeringen. Waardoor mijn twijfel aan het bestaan van de Lieve Heer verdween. Want die woonde tenslotte in de hemel. Oneindig alwetend. En ik woonde er pal onder.

Als het goed weer was, liep ik naar het kleine strandje, dat, een paar meter van ons huis verwijderd, door riet werd overwoekerd en elke week een beetje kleiner werd. En dan zwom ik, of ik maakte mijn huiswerk, of ik lag gewoon aan het strand. Tot op een dag twee grote voeten vlak bij mijn hoofd het water in liepen. Toen ik omkeek stond er tot mijn verbazing een jongen in het water. Hij had blond krullend haar, droeg een veel te grote zwembroek en een knalrood T-shirt waar I DON'T LIKE MONDAYS op stond.

'Daarginds is Australië,' zei de jongen, alsof we al heel lang bevriend waren, en hij maakte een hoofdbeweging naar rechts.

'En?' vroeg ik best wel onder de indruk en ik stond op.

'En wat?'

'En verder?'

'Verder niks. Daarginds is Australië,' herhaalde de krullenbol en hij keek over het water.

Ik trok mijn veel te grote bikinibroekje recht, geïrriteerd dat ik pas een nieuwe bikini zou krijgen als deze niet meer zou passen – en dat zou waarschijnlijk nooit het geval zijn – en zei: 'Interessant, zeg! Als ik een kangoeroe zou zijn, zou ik met deze informatie misschien iets kunnen beginnen, want dan wist ik nu tenminste waar ik thuishoorde.'

'Ik heet Tom, en jij?'

'Kangoeroe.' Op het moment dat ik het zei ergerde ik me al aan mijn kinderachtige antwoord.

'Grappig, hoor!' zei Tom.

Terwijl ik hem achternaliep het kniediepe water in, vroeg ik: 'Ik heb je hier nog nooit eerder gezien … Waar woon je?'

'Ik woon in het internaat in Staaken … en eigenlijk ben ik hier dus niet. Als ze wisten dat ik hier was, had ik een probleem. Ze denken dat ik met hoofdpijn in mijn kamer lig.'

'Hoe oud ben je?'

'Vijftien, en jij?'

'Veertien,' loog ik, en ik keek door het bruinachtige water naar de zandige bodem die het zonlicht reflecteerde.

Nadat hij uitgebreid om zich heen had gekeken was Tom van mening dat het in Kladow nog saaier was dan in Staaken. Tot mijn eigen verbazing hoorde ik mezelf dat weerspreken.

'Daarom lig je ook midden op de dag als een dode noordzeekrab op het strand … helemaal niet saai, hoor!' zei Tom, en hij wierp een vlakke steen zo het water op dat hij drie keer achter elkaar het wateroppervlak raakte voor hij zonk. En hoewel ik geen idee had hoe ik in godsnaam de tijd zou kunnen doden tot het avondeten, zei ik overdreven gewichtig: 'Ik moet trouwens weg.'

'Helemaal niet saai,' herhaalde Tom en hij zwaaide nonchalant ten afscheid.

Ik glimlachte verlegen, draaide me na een paar passen nog een keer om en zei: 'Australië ligt daar helemaal niet.' Daarna rende ik zo snel ik kon en zonder nog een keer achterom te kijken naar huis, om te eindigen voor Mauds nog steeds dichte garagedeur. Als een wachtende koe bij het hek van de wei.

'Hebben jullie Maud gezien?' vroeg ik mijn opa en oma. Ze zaten op het terras het avondeten voor te bereiden.

Opa vertelde dat Maud met een dikke aktetas onder haar arm het eerste pontje naar de universiteit had genomen om daar te werken. Ze had het piepkleine lichtpuntje van een supernova ontdekt. Het was vermoedelijk zestig miljoen jaar onderweg geweest en Maud was euforisch, omdat ze uitgerekend op het goede moment haar blik op het juiste stukje hemel had gericht.

'Jammer dat haar dat bij mannen niet lukt,' grapte opa.

Oma keek peinzend naar het water. Ze zuchtte eens diep en zei toen: 'Hoe kan een nog schijnende ster eigenlijk dood zijn? Het is net of je mijn stem nog hoort hoewel ik al niet meer leef. Mauds stervende sterren maken me helemaal in de war. Elke keer als ze bij vollemaan op het dak zit en ik niet kan slapen, denk ik aan de dood. Gaan wij net zo dood als de sterren? En zo niet, waarom niet? Waarom gaan we überhaupt dood? En wat gebeurt er met ons als we dood zijn?'

Ik pakte een tomaat uit de houten kom op tafel, haalde mijn schouders op en dacht aan de vrouw in de maag van de haai.

Toen hoorde ik opa zeggen: 'Wat zou er met je moeten

gebeuren als je dood bent, Amalie? Na je dood is het net als voor je geboorte.'

Er gleed heel even een opgelucht glimlachje over oma's gezicht. Het antwoord stelde haar gerust. Na haar geboorte was er iets van haar geworden, dus waarom zou er niet na haar dood ook iets van haar worden?

Ik had mijn armen over elkaar op het tafelblad gelegd en rustte met mijn wang op mijn onderarm. En terwijl ik probeerde oma's levervlekken te tellen, stelde ik me voor hoe geweldig het zou zijn als ik niet alleen juffrouw Lestikows behaarde benen, maar ook al die pigmentvlekken zou hebben. Dan was ik eindelijk volwassen en kwam er een einde aan het wachten. Dacht ik.

Voor ik in slaap viel, dacht ik aan Tom. Hij ging niet uit mijn hoofd. Nog nooit had een jongen zo naar me gelachen. De jongens in mijn klas giechelden of grijnsden. Maar Tom lachte op de een of andere manier volwassen. Als hij morgen weer op het strandje was, zou ik tegen hem zeggen dat ik Kladow ook best saai vond. En dat Australië eigenlijk toch wel ergens aan de andere kant lag.

De volgende dag regende het en er ging een hele week voorbij voor Tom naar het strandje kwam. Vanaf dat moment ontmoetten we elkaar stiekem en zo vaak als het Tom lukte ongezien uit het internaat te ontsnappen, tot hij op een dag plotseling en zonder afscheid te nemen uit mijn leven verdween. De vrees dat het aan mijn laatste kus zou kunnen hebben gelegen knaagde vele maanden lang aan mijn puberende ego, en er ging zestien jaar voorbij voor Tom op een verregende vrijdag in april op het vliegveld van Frankfurt in de rij voor de check-inbalie naar Berlijn opeens naast me stond.

'En kangoeroe, hoe staat het leven?' fluisterde hij in

mijn oor, en ik trok mijn afgezakte en door de lange vlucht totaal kreukelige linnen broek recht.

Na het gebruikelijke 'Hoe gaat het met je, je ziet er goed uit en wat doe je hier?' vroeg ik: 'Waar was je zo lang?'

Tom vertelde dat hij destijds geen afscheid van me had kunnen nemen, omdat een leraar hem had ontdekt toen hij net over de schutting wilde klimmen. Voor straf kreeg hij huisarrest tot zijn ouders hem kwamen halen. Terwijl we in de bus naar het vliegtuig zaten, zwoer Tom dat hij meerdere brieven aan me had geschreven, omdat hij na onze eerste zoen ook verliefd op mij was geworden. Alleen had hij die brieven helaas niet naar de Sacrowerweg in Kladow, maar naar de Kladowerweg in Sacrow gestuurd, en omdat Sacrow niet bij Berlijn, maar bij Potsdam hoorde, kwamen zijn brieven pas aan toen ik alweer bij mijn ouders in München was.

Toen ik opa later vroeg of hij zich de brieven kon herinneren, zei hij: 'O, waren die voor jou …'

En na een korte pauze waarin hij beschroomd zijn keel schraapte, gaf hij toe dat hij de brieven had verbrand, omdat ze hem nogal jaloers hadden gemaakt op een zekere Tom. Oma verontschuldigde zich een paar dagen later en gaf toe dat ze de brieven zo in haar slaapkamer had verstopt dat opa ze wel moest vinden. En toen hij 'Liefste schoonheid, ik mis je zo' en 'Lief kangoeroetje, wat denk ik vaak aan onze uurtjes op het strandje' had gelezen, had hij bijna zijn verstand verloren. Toen er na de vierde brief geen verdere brieven kwamen, had Amalie zichzelf geschreven: een laatste warmbloedige afscheidsbrief waarin Tom haar opdringerig vroeg onmiddellijk met hem te trouwen. Uit liefde. En passie. En dat ze anders voor altijd moest zwijgen.

Teleurgesteld in mijn eerste grote liefde stortte ik me in een aantal liefdesavonturen die me mijn goede naam kostten. Opa stak zich op zijn beurt diep in de schulden bij een bevriende juwelier om zijn huwelijk te redden.

Na mijn eindexamen studeerde ik Duits en theaterwetenschappen. In het laatste semester brak ik mijn studie af om op meerdere kleinkunstpodia als regieassistente op te treden, voor ik uiteindelijk als copywriter bij een reclamebureau terechtkwam.

Tom had na een hele hoop internaten toch ook zijn eindexamen gehaald en na een afgebroken studie economie in Parijs architectuur gestudeerd. Toen we elkaar ontmoetten, wilde hij net terugkeren naar Berlijn, en zo trok hij een paar weken na ons weerzien bij me in en begon hij voor zichzelf met een kantoortje in Kreuzberg. Ik wisselde binnen mijn reclamebureau van afdeling, werd *creative director* en plande ons eeuwige geluk. Ik had niet door dat een vurige liefdesbrief met onbekende afzender veel beter kan werken dan de theoretische belofte bij elkaar te blijven in goede en in slechte tijden.

Het probleem van de trouwbelofte is dat die in goede tijden wordt gedaan. Het zou zinvoller zijn om het andersom te doen. Maar ja, wie gaat er nou trouwen in slechte tijden? Met hoop op betere tijden.

Toms eerste woorden, zijn eerste blik en de eerste kus kan ik me nog goed herinneren. Maar wat was het eerste woord dat tot het laatste leidde? Welke blik was de eerste die de laatste kon doen vermoeden?

In het twaalfde jaar van mijn huwelijk ontving ik geen vurige liefdesbrief, maar een sms'je met het verzoek naar de Italiaan om de hoek te komen.

'Ik ben niet meer gelukkig zoals het nu is. Ik wil alleen door,' zei Tom toen we aan een tafeltje in een hoek bij het raam zaten. Daarna zweeg hij zo ongeveer de rest van de avond. Ik hield een vurig pleidooi over zijn gevoel van innerlijke leegte en dat we voor ons eigen geluk zelf verantwoordelijk zijn en niet de anderen.

Tom zei dat hij tijd nodig had en niet precies wist waarom hij niet meer gelukkig was, maar dat hij vermoedde dat ik er schuldig aan was, omdat hij zo was veranderd dat ik niet meer bij hem paste. Door het succes en het vele geld was hij verslaafd geraakt aan de kick die in zulke groeipercentages in ons huwelijk onmogelijk kon worden verkregen. Tom voelde zich alleen nog maar gelukkig als hij in zijn enorme architectuurkantoor voor integratie en motivatie zorgde. Verafgood en in het middelpunt. Het enige wat nog telde waren omzet en winst voor en na belastingaftrek. Ik was tussen de zakelijke dossiers beland en bevond me boekhoudkundig onder de B van belastingvoordeel. Ik had veel te laat begrepen dat ik in deze concurrentiestrijd altijd aan het kortste eind zou trekken. Daarom was ik met het voortschrijden van de avond en na een fles witte wijn op de een of andere manier toch schuldig aan het einde van ons huwelijk, omdat het me gewoon niet was gelukt Tom 's avonds na een lange werkdag zo te ontvangen dat hij zich fris en vrolijk voelde. Mijn argument dat ik alleen maar was opgehouden hem goedgehumeurd en mooi aangekleed te ontvangen omdat hij altijd veel te laat thuiskwam, kon zijn besluit zijn intrek te nemen in een hotel net zomin beïnvloeden als mijn excuus dat ik niet meer tegen koud geworden avondeten kon, omdat ik een soort avondetenallergie had opgelopen die bestond uit kleine blaasjes onder mijn tong als ik in de buurt van koud geworden vis of vlees kwam.

'Daarom kookte ik alleen nog maar à la minute,'

smeekte ik bijna in tranen, waarop Tom bevestigde dat ik inderdaad met boterhammen, sla en mozzarella met tomaat het einde van ons huwelijk had bezegeld.

Toen ik vlak voor middernacht bij een *mousse au chocolat* mijn slotpleidooi over vastgeroeste gedragspatronen hield en voorstelde die te veranderen, om de laatste jaren niet zomaar weg te gooien, glimlachte Tom vermoeid, en nadat de rekening betaald was, restte ons niets dan hulpeloos zwijgen. En de stilte overschreed de grens van het draaglijke.

Een paar dagen later wachtten Toms gepakte dozen en kisten erop om te worden afgehaald. Ik stond bij het raam van mijn halflege appartement en wachtte op een wonder. Of op een reusachtige golf. Of een krachtige wind die de muur van zwijgen tussen ons omver zou blazen. Alles wat ik kon denken was: blijf. En alles wat ik kon uitbrengen was: blijf.

'Het ga je goed,' zei Tom.

'Jou ook,' zei ik, en ik drukte Toms gele zwembroek, die ik op een onbewaakt moment stiekem uit zijn sporttas had geplukt en onder mijn trui had verstopt, stijf tegen mijn buik aan. En toen Toms stappen in het trappenhuis steeds zachter klonken, liepen mijn ogen vol tranen en nam ik me voor niet zomaar op te geven. Over een paar dagen zou ik hem bellen en zeggen: 'Je bent je zwembroek vergeten. Ik kan hem wel even langsbrengen ...'

'Niet nodig,' zei Tom kortaangebonden, en hij voegde eraan toe dat ik het ouwe ding maar weg moest gooien. Of Henk cadeau moest doen.

5

Henk woont samen met Honky Tonk een etage onder mij. Honky Tonk heeft een matrozenpakje aan en een vijftig centimeter lang lichaam van papier-maché. Henk en hij staan elke avond, behalve op maandag, in een klein theater in Kreuzberg op de bühne en houden een avondvullende conference waarbij Henk de slimme vogel speelt en Honky Tonk de sufferd. Privé weigert Honky Tonk die rol te spelen.

Als Henk niet buikspreekt, schrijft hij aan zijn nieuwe showprogramma of droomt hij van Luna. Die heeft hij een jaar geleden tijdens een cruise op de Zwarte Zee leren kennen. Ze was als slangenmens de ster van het variété, en Henk wist op het moment dat hij haar zag dat de liefde tussen een ventriloquist en een contorsioniste puur geluk betekende en prachtige en uiterst getalenteerde ventrilocontorsionistenkindertjes zou voortbrengen.

Toen zijn aanbedene een paar maanden geleden niet naar Berlijn maar naar Moskou verhuisde, omdat ze een seizoenscontract had getekend bij een Russisch circus, bracht Henk dagenlang geen woord uit, en pas toen ze hem beloofde met hem te trouwen als haar contract in Moskou was afgelopen en dan met hem te gaan werken op een luxueus cruiseschip, kon Henk weer buikspreken. En nu wacht hij op Luna. En hij werkt aan een ventrilocontorsionistenprogramma. Een wereldpremière! Een sensatie!

Toen ik Henk voor het eerst ontmoette in het trappenhuis, staarde hij zwijgend naar mijn schoenen. Gek, dacht ik. En: gluurder. Maar met de tijd ontdekte ik dat Henk gewoon heel verlegen was. Vooral zonder Honky Tonk, die alles durft te zeggen wat Henk nooit zou durven. Honky Tonk was ook degene die Luna een huwelijksaanzoek deed, wat wederom voor spanningen zorgde, omdat Honky Tonk erop stond dat hij zou worden genoemd in de huwelijksakte.

Ik belde aan bij Henk, maar er was niemand thuis. Om Toms zwembroek zo snel mogelijk kwijt te raken, propte ik hem kwaad in de brievenbus. Helaas bleef ik met mijn horloge zo onhandig steken dat mijn pols vast kwam te zitten. Eerst kon ik niet geloven dat een hand die ergens in is gestoken er niet ook weer uit kan. Maar nadat ik minutenlang tevergeefs had geprobeerd me te bevrijden en mijn arm door de onnatuurlijk naar boven gestrekte houding dreigde te verkrampen, riep ik eerst zachtjes maar gaandeweg steeds harder om hulp.

Onder het appartement van Henk bevinden zich twee winkels die om zeven uur dichtgaan. Het appartement naast dat van Henk staat al maanden leeg. Boven Henk woon ik en naast mij de stokoude mevrouw Meggele, die eindelijk, na een halve eeuwigheid, de trap af kwam lopen.

'Wat doet u in die brievenbus?' vroeg ze wantrouwig. Ze hield zich stevig vast aan de trapleuning.

'Mevrouw Meggele, ik ben het … Herkent u me niet? Knorr. Ik woon naast u. Hebt u een tang? U hoeft alleen maar …'

'Ik ken u niet,' onderbrak mevrouw Meggele mij. En

toen ik zwoer dat ik geen dief was, maar haar buur-vrouw, schudde ze haar hoofd en zei: 'Onzin! Ik ga nu de politie bellen!'

Een tijdje later stond ik met een gedemonteerde brievenbus aan mijn pols tegenover een politieagent. Ik kreeg een boete wegens het beschadigen van andermans eigendom, omdat er nu twee gaatjes ter grootte van een cent in Henks voordeur zaten waardoor je kon zien wat een rotzooi het binnen was. En alsof dat nog niet genoeg was, moest ik ook nog samen met de vriendelijke brandweerman naar buiten om me en plein public de brievenbus van de pols te laten zagen. Het was geen prettig gevoel en ik waag te betwijfelen dat psychische gevolgen later kunnen worden uitgesloten.

Henk had na de voorstelling nog een collega geholpen een oude kelderkast bij het grofvuil te zetten en belde vlak voor middernacht aan. Hij rook naar oude aardappelen.

'Al goed,' zei hij toen ik hem uitlegde hoe de gaatjes in zijn deur waren gekomen. En omdat ik er zo verlept uitzag, nodigde hij me uit voor een glaasje. Dankbaar dat ik niet alleen hoefde te zijn, liet ik me tussen de verhuisdozen vallen op zijn vreemdsoortige, opblaasbare meubilair. Ik nam een grote slok wijn, sloot mijn ogen en snoof de rubberlucht op.

'Het goeie van opblaasbare meubelen is dat ze bij een verhuizing bijna geen plek innemen en zowel in de zomer als in de winter een campinglucht verspreiden die je aan vakantie doet denken,' zei Henk.

'Maar daar moet je natuurlijk wel van houden,' steunde Honky Tonk.

En ik dacht: voor een gezellige sfeer ontbreekt alleen

het kampvuur. Toen barstte ik in tranen uit.

'Maandenlang heb je zitten zeuren dat Tom je verwaarloost en dat hij geen tijd voor je heeft en je niet begrijpt. En nu is hij weg en doe je of hij je droomman was,' zei Henk en hij plofte naast me neer op het luchtbed. We schommelden.

'Kijk me eens aan, Henk.'

'Ja. En? Je bent een beetje bleek ... en nat om je ogen.'

'En je komt binnenkort in de menopauze,' zei Honky Tonk. Hij zat bij Henk op schoot.

'Precies. Zo is het. Ik ben over een halfjaar tweeënveertig en heb in plaats van een trouwring om mijn vinger ringen als die van een pandabeer onder mijn ogen, omdat ik me tijdens mijn slapeloze nachten de hele tijd afvraag waarom uitgerekend ik ga overblijven. Waarom ik?'

'Je overdrijft. Er zijn honderden alleenstaande vrouwen,' zei Henk sussend, terwijl hij Honky Tonk de mond snoerde.

'Ik wil niets anders dan een gezellig thuis en een kind en een boom planten. Is dat te veel gevraagd?' jammerde ik. Ik walgde van mijn eigen zielige toontje.

'Je zou kunnen beginnen met een boom planten,' stelde Honky Tonk voor.

'Ja. Om me erin op te hangen,' zei ik verbitterd, en ik begon een monoloog over nabijheid en de daarmee samenhangende vergeefsheid van de liefde die wederom vanwege de hele poppenkast van de voorafgaande leugenachtigheid onvermijdelijk geschiedenis wordt.

Henk keek me met grote vraagtekens in zijn ogen aan. Na een poosje vroeg hij waarom dat zo belangrijk voor me was.

'Wat bedoel je precies?' vroeg ik.

'Heb je problemen met de concentratie? Dat met de

46

geschiedenis …' schamperde Honky Tonk en hij adviseerde ginkgobladeren uit de apotheek.

'Ik wil iets achterlaten wat de tijd trotseert, begrijp je? Anders was het dat. Dood. Uit. Voorbij. Mijn begrafenis wordt nooit zo spectaculair dat iemand zich mij een generatie later nog herinnert. En die gedachte vind ik onverteerbaar.'

'Het kan mij geen biet schelen of iemand zich mij na mijn dood nog herinnert. Er is nauwelijks iemand die vóór mijn dood weet wie ik ben … Ik ga ervan uit dat mijn leven me na mijn dood niet bijzonder meer interesseert,' filosofeerde Henk.

'Ik zal in elk geval niet verdrietig om je zijn, tiran,' zei Honky Tonk, en hij fluisterde met zijdezachte stem naar mij: 'Dan kunnen wij twee toch …'

'Nee, Honky Tonk,' zei ik nerveus. 'Vergeet het maar. Ik breng mijn oude dag niet met jou door.'

En terwijl Henk met Honky Tonk discussieerde over wie wie zou overleven, dacht ik aan Tom. Hij had niet gezegd dat hij voorgoed wegging. Hij had gezegd dat hij geen zin meer had in discussie. En dat hij geen stress, maar een beetje lol wilde hebben.

'Zou jij in de stress schieten als ik … ik bedoel … zou je het begrijpen als ik …' vroeg ik aan Henk, die nogal radeloos was omdat hij Honky Tonks argument onsterfelijk te zijn niet kon weerleggen.

'Ja?' vroegen Henk en Honky Tonk als uit één mond.

'Ik bedoel … als ik iets niet begrijp of als ik me niet goed voel, dan moet ik daarover praten. Ik kan dan niet doen of alles in orde is. Maar dat vindt Tom dus stress. Hij haat over problemen praten. Hij vindt het zeuren. Zeuren. Dat begrijp ik niet. Heb ik een probleem, noemt hij het zeuren.'

Honky Tonk vond dat ik moest toetsen hoe ik in relatie tot werkelijkheid en waarneming stond en Henk zwoer bij rouwen in de vorm van een videodagboek.

'Toen ik de eerste keer ongelukkig verliefd was, sprak ik elke dag voor de camera over mijn gevoelens en gedachten. Wil je het zien?' vroeg hij.

'Het was vreselijk,' gaapte Honky Tonk.

Henk begreep dat ik geen zin had in zijn videodagboek en ik vroeg me af waarom ik eigenlijk geen relatie had met hem. Oké, hij zag er niet bijzonder erotisch uit als hij buiksprak, maar Honky Tonk kon toch in de zitkamer slapen? En seks werd sowieso overschat. Toch? Als Henk een paar dingen aan zichzelf zou veranderen was hij helemaal zo slecht nog niet. Haar, tanden, broekmodel, soort schoenen. En natuurlijk de slobberige shirts die naar bedorven levensmiddelen roken.

'Heb je er al eens over nagedacht om een paar overhemden te kopen en je haar te knippen?' vroeg ik voorzichtig.

'Nee,' antwoordde Henk zonder aarzeling.

'En schoenen? Zou je je kunnen voorstellen andere schoenen … ik bedoel …' probeerde ik voorzichtig.

'Met veters?' vroeg Henk en hij trok een vies gezicht.

'Vergeet het maar!' zei Honky Tonk. 'Ga je hengel maar uit de kast halen en mannen vangen. Je biologische klok tikt. Hoe wil je anders aan geschikt genenmateriaal voor je kroost komen? Of wil je kinderen van papier-maché?'

Die zat. Ik probeerde nog een antwoord waarin ik erop wees dat vissen niet zo makkelijk was, omdat de mannenkeus van vrouwen gebaseerd is op een zeer complexe constructie van elkaar tegensprekende argumenten. Volgens de recentste wetenschappelijke onderzoeken willen wij vrouwen namelijk tijdens onze vruchtbare dagen ma-cho's met een vierkante kin en een stoppelbaard, terwijl we de rest van de tijd fluweelzachte softies prefereren.

Daarop zei Honky Tonk verveeld: 'Nou, dat ze maar goed mogen bijten dan!'

Henk ging nog een fles wijn halen.

Ver na middernacht strompelde ik bewapend met Henks oude vliegvisuitrusting terug naar mijn apparte-ment. Ik schreef een lange brief aan Tom, deed hem in een envelop, adresseerde die, plakte er een postzegel op en gooide hem in de plee. Daarna viel ik huilend in slaap.

De volgende dag had iemand met rode stift een neus en een mond toegevoegd aan de twee gaten in Henks voor-deur en er HENK IS LELIJK onder geschreven. Ik streepte HENK door en schreef er TOM onder. Een paar dagen la-ter was TOM doorgestreept en stond er MARTIN. En weer een paar dagen later was de lijst met namen van lelijk-kerds zo lang dat de hele rechterhelft van de deur erdoor in beslag werd genomen.

Na een woedend telefoontje van het gebouwbeheer streepte Henk alle namen door en schreef naast het ge-zicht: JULLIE ZIJN ALLEMAAL LELIJK.

Intussen is Henks voordeur de geheime tip geworden van de fanclub van www.wieislelijker.com en is er zelfs een wedstrijd georganiseerd. Wie is de lelijkste? Ja, Henk en zijn deur zijn inmiddels echt beroemd.

6

Het ergste nadat het uit was met Tom waren de nachten. Eerst kon ik de slaap niet vatten, en als ik dan eindelijk sliep schrok ik wakker uit angstdromen. Waar ooit Toms hoofd had gelegen, lag nu mijn dagboek te wachten op mijn angst en mijn verdriet. En mijn wanhoop. Komt er dan nooit een eind aan? Verliefd. Liefde. Ontliefden. Scheiden. Verwachting. Geluk. Teleurstelling. Pijn. Ik kwam steeds terug bij de vraag waarom Tom ons gemeenschappelijke leven zo eenvoudig had kunnen opgeven. Zonder ervoor te vechten. En zonder me te waarschuwen. Voor het te laat was. Liefde wordt niet oud, maar rijp. En het zijn de onrijpe voorstellingen van en gedachten over de liefde die ons moe maken en van 'verliefd' 'verbruikt' maken.

Om op andere gedachten te komen en rustig te worden, verdween ik als het weer het maar even toeliet 's avonds laat met mijn badpak onder een gebloemd badstof jurkje achter de reusachtige klimhortensia in de Mollettistraße, om aan de andere kant van de kapotte schutting onder een jeneverbesstruik te wachten op de schaduw van de nachtwaker en zijn begeleidende schaduw op vier poten. Ik hoorde de gelijkmatige voetstappen achter de beukenhaag langs een smal grindpad en ik zag op een afstandje de achterzijde van de twee gestaltes tussen de kinderglijbaan en het tien meter diepe bad over de kleine zonneweide wandelen. Een paar minuten later waren ze achter een muur naast de hoofdingang verdwenen, en dan rende ik zo snel als ik kon over de grote zonneweide. Ik sneed af door het omkleedhok voor heren en gooide mijn jurk op een lange houten bank. Ik deed mijn slippers uit en gleed geluidloos in het mat verlichte, vijftig meter lange sportbad.

De eerste twee baantjes zwom ik om op te warmen. Borstzwemmen. Daarna een baantje borstcrawl om het niet te verleren, waarna ik me omdraaide om de resterende 850 meter met mijn blik op de oneindige sterrenhemel op mijn rug te zwemmen.

Op heel slechte dagen deed ik net of ik een gummetje was. Ik gumde niet heen en weer, maar op en neer. Ik begon met Toms rechterarm en zijn uitgestrekte hand. Daarna gumde ik zijn schouder, zijn heup, zijn bovenbeen en onderbeen en de buitenzijde van zijn voet uit. Sleutelbeen, borstbeen, borst, ribbenkast, lende, rechterbalzak, bovenbeen, knie, scheenbeen, middenvoetsbeentje. Net toen ik bij Toms rechteroog was, zag ik een man in uniform aan de rand van het bad staan. Een paar minuten later stond ik bibberend voor de nachtwaker. Ik keek in zijn ernstige gezicht en moest aan tante Maud denken. Hoewel de neus van de nachtwaker veel groter was en zijn ogen niet bruin, maar donkerblauw waren en zijn haar niet roodblond krullend, maar lichtbruin en glad op de schoudervullingen van zijn donkerblauwe uniform viel, waren het zijn wenkbrauwen en de manier waarop hij fronste die me aan tante Maud deden denken.

'U weet dat 's nachts hier zwemmen verboden is?' vroeg hij, en hij haalde een formulier en een knalgele pen waar UW PLEZIER IS ONS PLEZIER op stond uit een leren tasje dat aan een riempje om zijn pols hing.

Hij keek op zijn horloge, vulde de tijd en datum in een daarvoor bestemd vakje in en beval zijn grommende hond met zachte, doordringende stem: 'Rustig, Laura. Zit.'

Laura zweeg onmiddellijk, ging plat op de grond liggen en keek me hijgend aan. Ik goed, jij niet goed, sprak er uit haar ogen en ik keek beschaamd weg.

'Hebt u een week-, maand- of jaarkaart? Een pasje?'

Ik ontkende door mijn hoofd langzaam heen en weer te schudden. En terwijl ik een druipende pluk haar van mijn voorhoofd streek, schoot me te binnen dat ik over een paar uur in een vliegtuig naar Guernsey zou zitten om van daaruit met een veerboot naar Sark te varen. Ik, Martha Knorr, slapeloos, hopeloos en kinderloos, verlang ernaar zwemmend naar de sterren te kijken omdat ze me naar het oneindige en tijdloze brengen. En omdat ik momenteel minstens vier kilo te zwaar ben, die er bij daglicht uitzien als acht.

'Naam, adres en wanneer en waar geboren?' vroeg de nachtwaker.

'Tiergartenstraße 56. Geboren in Berlijn, op 31 augustus 1966,' antwoordde ik.

'Ik heb in de dierentuin een zomer lang een pauw bewaakt,' zei de nachtwaker mijmerend. Hij keek heel even naar de sterren.

'Een pauw?'

'Ja. Het beest was een attractie en mocht zich in de dierentuin geheel vrij bewegen, wat niet voor mij gold. Wist u dat een pauw in de voortplantingstijd van april tot augustus alles aanvalt waar hij zich in spiegelt?'

'Nee.'

'Ik voor die tijd ook niet.'

'Waarom werkt u als nachtwaker?'

'Omdat ik van het daglicht hou. Bovendien ben ik

alleen in het badseizoen nachtwaker.'

'En daarbuiten?'

De nachtwaker keek naar Laura en zei, terwijl hij haar oor krauwde: 'Zijn we op reis. Vorig jaar zijn we met de auto helemaal naar Hammerfest geweest, nietwaar Laura?'

'Hammerwat?'

'Hammerfest. Dat is een stad in Noorwegen, op het eiland Kvaløya. Daar gaat van november tot januari de zon niet op. Als hij dan voor het eerst weer aan de horizon verschijnt, applaudisseren de mensen uit Hammerfest. Hebt u ooit geklapt omdat de zon opging?'

'Nee.'

'Ziet u? Daarom ben ik nachtwaker geworden.'

'En dit jaar?'

'Dit jaar gaan we naar Oulu.'

Plotseling liet de nachtwaker zich op zijn knieën vallen. Hij leunde met zijn bovenlichaam achterover, duwde zijn heupen naar voren en bewoog de vingers van zijn linkerhand bliksemsnel op en neer, terwijl zijn arm een denkbeeldige lijn volgde. De hoek waarin hij zijn rechterarm boog zorgde ervoor dat de rechterhand voor de buik hing, waar hij dramatisch en zonder herkenbare samenhang werd geschud.

Ik staarde naar de licht openstaande mond, die zo heftig toonloze a's en o's vormde dat hij er een vlieg mee van z'n bovenlip had kunnen verjagen. En toen zijn oogleden in het ritme van de schuddende hand begonnen te trillen, werd ik bang. Tante Maud was helemaal verdwenen uit het gezicht van de nachtwaker.

Gelukkig hield hij net zo plotseling weer op als hij begonnen was. Breed grijnzend vroeg hij: 'Weet u wat dat was?'

'Geen idee,' antwoordde ik opgelucht. Ik was blij dat

het geen epileptische aanval was geweest.

'Dat was Jimi Hendrix. Luchtgitaar. Over twee weken zijn de wereldkampioenschappen in Oulu. Ik ga de huidige wereldkampioen verslaan.'

'O.'

Ik was sprakeloos. Kennelijk had ik een volslagen verkeerd beeld van nachtwakers. Om niet zo'n sufferd te lijken zei ik: 'Bent u al eens in Las Vegas geweest?' En ik vertelde over de gigantische waterbassins die veel, veel groter waren dan het sportbad waar we naast stonden. 'Las Vegas heeft mijn verlangen naar zweven een nieuwe dimensie gegeven.' En ik dacht aan hoe ik na een lange nacht dansen op het dak van een wolkenkrabber met Tom in een spiegelglad zwembad was gesprongen. Onder ons neonsterren. Boven ons de sterrenhemel en wij ertussenin. Zwemmend. Zwevend.

Tom had liever naar Australië gewild, op huwelijksreis. Maar ik wilde naar het krokodilvrije Las Vegas.

'En de naam?' vroeg de nachtwaker en hij beëindigde daarmee mijn uitstapje naar het verleden.

'Las Vegas. Eh, ik bedoel: Knorr, Martha.'

'Zoals de soep? De uitvinder van de soep?'

'Zou ik dan hier zwemmen?' vroeg ik geïrriteerd, omdat ik het niet kon uitstaan als mijn bestaan in verbinding werd gebracht met een bouillonblokje.

'U zwemt goed. Uw beste tijd is niet mis,' mompelde de nachtwaker, terwijl hij mij het keurig ingevulde formulier overhandigde. 'Angst.'

'Nu niet meer,' zei ik verzoenend en ik glimlachte. 'Maar toen u mij uit het water viste en Laura haar tanden liet zien, was ik behoorlijk …'

'Nee,' onderbrak de nachtwaker mij. 'Mijn naam is Angst. Adriaan Angst.'

'O. Dat spijt me.'

Angst glimlachte verlegen en ik ergerde me aan mijn ondoordachte reactie. Ik had er spijt van dat ik niet had geluisterd naar het stemmetje in mijn hoofd en dat ik niet was thuisgebleven. Aan de andere kant, nu het baasje en de hond een naam hadden en ook tante Maud op de een of andere zeldzame manier aanwezig was, werd ik nieuwsgierig.

'Hoe kent u mijn persoonlijke record rugslag?'

'Heb ik gemeten. Vorige week. Ik denk dat het woensdag was. Toen was u heel snel. Op uw rug bent u echt onverslaanbaar.'

'Dank u, dat is heel vriendelijk van u,' zei ik en ik raapte mijn handdoek van de grond op. 'Ik heb het koud. Ik ga me omkleden.'

Angst vroeg of ik voor ik ging nog even bij hem op kantoor wilde langskomen. Hij wilde me iets laten zien.

Voor de grote spiegel op de deur van het kleedhokje kneedde ik mijn krullende, warrige haar een beetje in vorm. Ik nam me voor mijn persoonlijke record rugslag op Sark te verbeteren. Ik dacht dat ik er met kiemen en vinnen veel beter uit zou zien. Was ik misschien eigenlijk een vis? Eentje op twee benen die zuurstof nodig had om te kunnen functioneren, maar die water nodig had om gelukkig te zijn? Want alleen als ik dagelijks zwom was ik gelukkig. Dacht ik. En ik verdrong de gedachte dat ik alleen 's nachts zwom als ik ongelukkig was.

Even later stond ik voor een kantoortje waarin Angst aan zijn bureau zat te wachten. Ik voelde me net Alice in Wonderland nadat ze het stuk taart heeft verorberd. Behalve op de plekken waar twee stoelen, een tafel, een bed en een commode met daarop een televisie en een videorecorder stonden, was de hele vloer volgebouwd met een uitgebreid spoorwegennet en een bergachtig miniatuur-landschap, waardoorheen een locomotief een aantal wa-gons duwde.

'Wat zijn dat voor foto's?' vroeg ik en ik ging op de stoel naast Angst zitten.

'Dat zijn opnames van de videobewaking. Ze doen me aan Noorwegen denken.'

Op de foto's voor hem op tafel stonden schimmige gedaantes afgebeeld die over zonneweides schoten, uit de struiken kwamen kruipen en zich achter bomen en muurtjes verstopten.

'Die daar achter de rododendron is nummer drie. Hij heeft maar één been en komt elke woensdag even na mid-dernacht. Hij legt zijn prothese altijd precies op dezelfde plek neer en dekt hem af met een handdoek,' zei Angst en hij gaf me de foto. 'En dit is nummer vijf. Zij komt altijd 's ochtends vroeg en rent als een haas zigzaggend naar de kleedhokjes. De jongen op de muur is maar één keer ge-weest. Hij zat een hele tijd op de driemeterplank. Ik hield er al rekening mee dat ik het water in zou moeten, toen hij met z'n kleren aan in het water sprong. Maar hij was ge-woon ongelooflijk kwaad en riep, terwijl hij de hele tijd met zijn vuisten op het water sloeg: "Goed! Als je het per se wilt! Dan wordt mijn eerste auto maar groen!" Toen hij gekalmeerd was, crawlde hij vijftig meter op en neer en verdween in de ochtendschemer met een sprong over de muur naast de kleine poort. De man met de krullen kwam af en toe met een jonge vrouw. Hij zwom net als u alleen op de rug. Kent u elkaar?' vroeg Angst.

'Ik heb geen idee wie dat is,' loog ik en ik pakte de foto om hem beter te kunnen bekijken. 'U bent toch de nachtwaker! Waarom hebt u hem niet uit het water ge-haald?' vroeg ik boos. Ik zou zweren dat ik Toms krullen en zijn door het maanlicht beschenen neus naast de kastanjeboom herkende.

'Waarom zou ik? Het water kan het niet schelen wie erin zwemt,' zei Angst en hij legde de foto van Tom op het stapeltje bij de andere.

'Kent u de vrouw die met hem … ik bedoel, hebt u haar ook uit het water gehaald?' vroeg ik, en ik wees met mijn vinger naar een boomstam waarvan ik vermoedde dat ze daarachter stond.

'Nee,' zei Angst geïrriteerd.

'En waarom hebt u mij …?'

'Omdat ik vandaag jarig ben … en … omdat ik dacht …' Angst verstomde.

Ik verbrak de pijnlijke stilte en zei: 'Van harte gefeliciteerd. Waarom viert u het alleen? Hebt u geen vrienden?'

'Natuurlijk heb ik vrienden,' protesteerde Angst, en hij legde uit dat zijn verjaardag helaas altijd in het zwemseizoen viel en privédingen tijdens diensttijd volstrekt verboden waren. 'In Oulu zou het wat anders zijn. Of in Siberië.' En hij volgde met zijn blik de locomotief die vlotjes onder tafel verdween.

'Siberië?' herhaalde ik afwezig.

'Ja. Het is mijn grootste wens om een keer met de Siberische spoorwegen van Moskou naar Peking te rijden. Je rijdt dan door eindeloos bos, steppes, langs Kazan, door het Oeralgebergte, naar Jekaterinburg en naar Omsk. In Novosibirsk ga je de Ob over en dan over de Jenisej naar Krasnojarsk en van daaruit verder naar Irkutsk, naar het Bajkalmeer. Op die route kom je door wel elf tijdzones! Vijfentachtighonderd kilometer met de trein. Dat zijn pas dimensies!'

'Ik ga morgen naar Sark,' zei ik kleintjes. Ik voelde me tamelijk ondergedimensioneerd.

'U bedoelt vandaag,' corrigeerde Angst me. Hij borg de foto's op in de bovenste la van zijn bureau en stond op. 'Het is al laat. Mijn rondje.'

'Ach ja, uw rondje …' zei ik en ik volgde hem, over het spoor stappend, naar de deur, waar zich de hoofdschakelaar voor de transformator bevond.

Nadat Angst een schakelaartje had omgelegd, kwam de trein tot stilstand. Toen alle lichten uit waren, raakte hij Laura's oor aan met zijn wijsvinger en zei: 'Geef pootje.'

Laura stak braaf haar poot uit en ik schudde hem. Ik dacht hoe het zou zijn als Angst in Oulu was en ik in Berlijn.

'Ik moet gaan,' zei ik.

'Goed. Nummer vijf komt zo. Ze komt door het gat achter de telefooncel, waar de thuja's staan.'

'Welk nummer heb ik eigenlijk?' vroeg ik toen we voor de grote poort stonden.

Angst stak de duim van zijn rechterhand omhoog. 'U bent nummer een!' Daarna wenste hij me een goede reis.

En hoewel ik op dat moment nergens liever wilde zijn dan bij Angst, zei ik: 'Ik kan bijna niet wachten. Veel succes in Oulu …'

Even later liep ik door de Molnarstraße, met het formulier in mijn hand. Angst had niet mijn, maar zijn gegevens in de blauwe vakjes gezet. Adriaan Angst, geboren op 10-08-1965, in Wuppertal. En in plaats van het adres stond zijn telefoonnummer op het formulier. Grijnzend bleef ik staan voor de enorme hortensia. Toen ik geblaf hoorde, draaide ik me om. Ik zag Angst, met de opgaande zon in de rug, helemaal boven op de tienmetertoren staan, met Laura naast zich. Toen onze blikken elkaar kruisten, liet Angst zich op zijn knieën vallen. Zijn lijf schokte zo heftig ritmisch dat zijn lichtbruine haar door de lucht vloog. Daarboven stond de nieuwe wereldkampioen luchtgitaar. Expressie en lichtheid waren geweldig.

7

'De vakantie zal je goeddoen,' zei Henk een paar uur later. Tijdens de rit naar het vliegveld benadrukte hij dat ooit alles goed kwam, behalve de relatie met zijn moeder. En hij vertelde over zijn nieuwe baantje in het Admiralspalast en dat zijn moeder na al die jaren nog steeds weigerde naar premières of voorstellingen te komen. Ze wilde de enige mannelijke erfgenaam van een al generaties lang tuimelramen producerend familiebedrijf niet op een toneel, maar in het decor van de directiekamer zien.

Tuimelramen waren echter geen optie voor Henk. Een raam van Hannssen bood gewoon te weinig alternatieven. Je kon het klassiek opendoen of tuimelen. En als dat niet kon, was het kapot. Hoewel dat bij een raam van Hannssen eigenlijk nooit voorkwam.

Onverdroten hoopte Henks moeder dat haar enige zoon op een dag tot bezinning kwam. Maar dat was net zo realistisch als haar prognose dat de reclamespotjes van Hannssen net zo'n cultstatus zouden bereiken als de pratende opgezette herten van Jägermeister.

'Overigens, Honky Tonk, is het Admiralspalast wel iets anders dan dat zaaltje in Kreuzberg! Als je me de volgende keer weer onderbreekt, verkloot je de grap!'

Honky Tonk, die op de achterbank in de gordel op een kinderzitje zat en uit het raam keek, zei kwaad: 'Sorry, maar dat zie ik dus anders. Die grap is sowieso klote. Het is een klotegrap!'

'Net zo klote als ik …' mompelde ik.

'Huh?' zei Henk en hij parkeerde pal voor de vertrek-hal, waar parkeren verboden was.

'Niks. Ik dacht hardop. Ik voel me momenteel als een tuimelraam dat niet kan tuimelen … maar vergeet het. Ik ben moe, dat is het,' zei ik.

'Een moe tuimelraam?' herhaalde Henk, en de uit-drukking op zijn gezicht verried diepe verachting.

'Vermoeidheidsverschijnselen kunnen tot breuk lei-den. De breukveiligheid is …' begon Honky Tonk.

'Ga me nu alsjeblieft niet uitleggen dat ik breukveilig ben,' onderbrak ik hem.

Henk stelde voor het gesprek op een later tijdstip te hervatten, omdat mijn vertrektijd een uitgebreide dis-cussie over mensen en hun breukveiligheid nu even niet toeliet.

'Je zult zien, je bent zo weer de oude,' zei Henk en hij gaf me een kus op mijn wang, op mijn voorhoofd en op mijn neus. Dat deed hij altijd zo. En Honky Tonk zei dat niet alleen breukveiligheid maar ook een productiefout mijn probleem was. En hij wenste me een goede reis.

Bij de *duty free* kwam ik even later dr. Jahn tegen bij de mannencosmetica, voormalig CEO van het bureau waar ik werkte. Hij was, vlak nadat ik met Tom was getrouwd, voor zichzelf begonnen en was nu directeur en hoofd-aandeelhouder van de winstgevende Jahn Bruis- en Bak-poeder nv. Dienovereenkomstig had hij op Guernsey een zeiljacht voor anker liggen. Hij gunde zichzelf een paar daagjes vrij.

'Hoe gaat het met u?' vroeg hij vriendelijk, en hij besproeide zich opperbest gehumeurd met het nieuwe herenluchtje van Terry Lada.

Ik besproeide een teststrookje met Toms aftershave en loog een 'uitstekend' voor ik aan mijn verleden snuffelde.

Dr. Jahn zei dat het de hoogste tijd was voor een nieuwe reclamecampagne.

'Wat?' flapte ik eruit.

'Pardon?'

'Eh, ik bedoel, wat een goed idee. Ik ben over een week weer in Berlijn. Dan neem ik contact met u op.'

'Mijn assistente en jouw meneer Feldberg zouden ondertussen alvast wat data enzovoorts kunnen coördineren …'

Dr. Jahn wist niet dat mijn afschuwelijk ambitieuze assistent sinds kort voor de concurrentie werkte en ik was niet van plan het hem aan zijn neus te hangen.

'Dat is een goed idee … hoewel … Konrad … ik bedoel meneer Feldberg … is niet meer mijn assistent,' zei ik onschuldig.

'O, dat spijt me. Naar de concurrentie?'

'Nee. Hij is … dood. Een ongeluk … tragisch allemaal … een krokodil.'

'Een krokodil?' zei Jahn ongelovig. Hij keek me verbijsterd aan. Een vriendelijk glimlachende stewardess pakte ondertussen zijn ticket van hem aan en scheurde de instapkaart af.

'Ja, tijdens zijn vakantie,' zei ik en ik ging achter Jahn het draaipoortje door.

'Dat spijt me …'

'Ja,' zei ik bedremmeld. 'Wist u dat krokodillen ongeveer tweeduizend mensen per jaar doden?'

'Nee, dat wist ik niet. Ik heb alleen gehoord dat je beide duimen in zijn ogen moet duwen als je uit de bek van een krokodil wilt ontsnappen …'

'Interessant. Ik weet zeker dat Konrad tot het bittere einde heeft gevochten. Maar het moet een grote krokodil zijn geweest.'

'Arme kerel! Iets bekend over de begrafenis?' Jahn liet me voorgaan in de glazen slurf naar het vliegtuig.

'Er zijn zo goed als geen overblijfselen.'

'Wat vreselijk. Ik bedoel … het idee dat je door het spijsverteringskanaal van een krokodil als een drol …'

'Krokodillenshit,' zei ik en ik genoot van het idee.

Jahn wendde zich walgend af en zei voor hij het vliegtuig betrad: 'Bespaar me de details. Neem contact op als je weer in Berlijn bent.'

Hij kreeg een snoepje van de stewardess. Daarna wensten we elkaar een fijne vakantie, en toen ik me ongeveer tweehonderd rijen achter Jahn op mijn stoel liet vallen, benijdde ik de kleine voor het raampje op en neer zoemende vlieg om zijn vrijheid.

Tom had vliegangst en dacht voor elke vlucht dat het zijn laatste was. Vochtige handen en voeten, trommelende vingers, schielijk om zich heen kijkend, droge mond. En als hij dan eindelijk iets te drinken kreeg, morste hij de helft. Stel dat het vliegtuig neerstort. Stel dat de piloot een fout maakt, dat het vliegtuig in de lucht ontploft, de motoren uitvallen. Hij stelde zich voor hoe een vleugel afbrak of een motor uitviel en hij volkomen lijdzaam moest toezien hoe de machine met een rotvaart op de aarde afraasde. En alle passagiers overleven. Behalve hij.

Mijn grootste zorg was precies het tegenovergestelde: dat ik over zou blijven, versmaad, verlaten, vergeten. En terwijl de piloot een draai boven Berlijn maakte, dacht ik aan Angst. Zou hij de vader van mijn kinderen kunnen zijn? Martha Angst. Knorr-Angst. Alleen Knorr. Zonder Angst.

Ik bestelde een whisky, haalde diep adem, keek naar

het vliegje dat roerloos op het raam zat en vroeg me af of er vliegen zijn die vliegangst hebben en daarom het vliegtuig nemen.

'Sorry, maar ... die vlieg ... die hing in de vertrekhal ook al om u heen.'

Ik keek verrast naar mijn buurman en antwoordde na nog een korte blik op mijn vlieg: 'Weet u zeker dat het dezelfde vlieg was? Er zijn ontelbaar veel vliegen.'

'Ja ... Begrijp me niet verkeerd. Ik wil niet de indruk wekken u in de gaten te houden. Mag ik me even voorstellen? Georg Bautzner.'

'Net als de mosterd?' vroeg ik, en ik kon wel op mijn tong bijten, omdat ik zo-even precies had gedaan wat ik van anderen niet kon uitstaan.

'Ja,' antwoordde Bautzner bedaard.

'Benijdenswaardig.'

'Vindt u?'

'Nee. Ik bedoel niet uw naam. Ik heet Knorr. Martha Knorr.'

'Als het bouillonblokje?'

'Zou ik dan economyclass vliegen?' zei ik gepikeerd. 'Weet u zeker dat u deze vlieg hebt gezien in de vertrekhal? Vliegen lijken zo op elkaar.'

'Waarschijnlijk vinden vliegen dat helemaal niet. Maar ik moet u gelijk geven. Waarschijnlijk heb ik op een onbewaakt moment de switch gemist tussen twee vliegen en is het puur toeval dat er weer een vlieg bij u zit. Vliegt u voor het eerst naar Guernsey?'

'Ja.'

'Vakantie?'

'Ja, en u?'

'Ik ben op weg naar een weekendseminar voor gestreste managers.'

'Forellen vangen met de blote hand? Bessen eten? Overnachten in de wildernis? Je een uurtje laten begraven in een doodskist om de angst voor het niets kwijt te raken?'

'Zo ongeveer. We ontmoeten elkaar op een zeilboot en ik werk met kleine plastic figuurtjes: schaap, dinosaurus, aap, tijger, dolfijn, hond, kat, muis, slang en een blekkende wolf. Wat je maar spontaan te binnen schiet.'

'En dan?'

'Zoek je een dier uit dat je het best bij jezelf vindt passen, dat je belichaamt. In Berlijn hadden we een gorilla, een beer, een lama en een vos.'

'Wat was er met de lama aan de hand?'

'Hij was bang voor de gemeenschappelijke toekomst met zijn vrouw en wilde liever alleen zijn.'

'En? Is hij nu alleen?'

'Ja. Nu is hij een tijger.'

'Aha ...' zei ik geïnteresseerd en ik weerstond de verleiding om te vragen of die lama toevallig Tom heette.

'Probeer het maar eens,' stelde Bautzner voor.

'Ik ben toch geen ... ik bedoel ... het gaat toch goed met me, of niet?'

'En dat vraagt u mij?'

'Ja.'

'Nou, op mij maakt u een ietwat nerveuze indruk.'

'Wat was de vrouw van de man ... van die lama ... ik bedoel tijger, voor een dier?' vroeg ik zo onverschillig mogelijk.

'Een gorilla.'

'O. Ik ben meer een albatros,' flapte ik eruit, en ik vroeg of er ook plastic albatrossen bestonden.

'Nee,' zei Bautzner na even zwijgen en hij noteerde iets.

'Wat jammer. Waarom gebruikt u dieren?'

'Omdat het ideale projectievlakken zijn.'

'Geven we daarom mensen van wie we houden dieren-namen?'

'Sorry?'

'Nou, muisje, beertje, musje, u weet wel, dierennamen.'

Bautzner gluurde stiekem op zijn horloge en zei: 'Dat zijn diminutieven die ons een veilig gevoel geven.' En hij drukte op het belletje voor de stewardess.

'Hebt u al eens neushoorntje of walvisje gehoord?' wilde ik weten, en ik morste per ongeluk whisky in mijn handtas.

'Nee. Dat kun je niet verkleinen. Sommige dieren kun je niet schattiger laten klinken. Boa constrictortje, nijl-paardje. Ik noem mijn vrouw Poemeltje.'

'Poemeltje?' herhaalde ik.

'Ja, omdat ze …' Bautzner keek me geïrriteerd aan, schraapte zijn keel, beëindigde zijn betoog en vroeg: 'Weet u zeker dat u een albatros bent?'

Nadat we twee flesjes sauvignon blanc naar binnen hadden gegoten, vertelde ik Bautzner hoog boven de wolken, met een blik op de vlieg, over Tom en over mijn angst zonder man en kinderen te vereenzamen. Ik was er tot nu toe niet in geslaagd iets blijvends na te laten en nu was ook mijn carrière nog in gevaar, omdat mijn professionele geluk afhing van het bedenken van allerlei onwaarheden. Terwijl ik alleen maar gelukkig kon wor-den als ik ophield anderen en mezelf voor de gek te houden.

'Hoort u het tikken van de klok?' vroeg ik vlak voor we landden.

'Ik denk dat u lijdt aan scheidingsschok,' diagnosti-ceerde Bautzner en hij overhandigde me zijn visitekaartje. 'Verwen uzelf. Gun uw ziel een beetje meer aandacht …'

'Scheidingsschok?' vroeg ik. 'Wat zijn daar de symptomen van?'

'Die zijn heel verschillend. Slapeloosheid, hoofdpijn, het gevoel dat er geen uitweg is. U verbergt uw ware gevoelens voor uzelf en voor anderen. Daar moet u mee ophouden.'

'En hoe gaat dat in z'n werk?'

Het antwoord op die vraag bleef hij me schuldig. Vanuit mijn ooghoek zag ik midden in zee het eilandje Guernsey verschijnen.

8

Ik kijk met mijn onderarmen op de reling leunend naar Mauds licht gebogen, zware wenkbrauw, die aan mijn kant een beetje naar boven uitloopt, waardoor er altijd een verwarrend sprankje twijfel in haar blik zit. Waar Maud zich helemaal in kan vinden. In haar rechte neus en de smalle boogvormige bovenlip zie ik mijn opa terug.

'Je ziet er goed uit, tante Maud,' begin ik de vaart onschuldig.

Maud draait haar gezicht langzaam naar me toe, duwt haar zonnebril recht en antwoordt gnuivend: 'Martha. Dat ik er nog steeds goed uitzie en nog niet onder de groene zoden lig mag een klein wonder heten. Wat heeft jullie in godsnaam bezield mij in een bejaardentehuis te stoppen? Een bejaardentehuis waar je bovendien niet eens op het dak kunt klimmen. Zo'n luxekluis waar je op je einde mag gaan zitten wachten. Onvoorstelbaar hoe doodgaan vandaag de dag van zijn taboe wordt ontdaan! Toen ik werd geboren was de dood alomtegenwoordig en echt een taboe. Maar zelfs jij hebt zo weinig respect voor de dood dat hij niet eens meer voldoet als taboe. Ik leef in een tijd waarin wordt heengegaan, maar niet meer fatsoenlijk wordt doodgegaan. En ik geloof gewoon niet dat de dood hetzelfde lot tegemoet gaat als de eros. Eerst de liefde en nu de dood. Wist je dat er sinds kort een particulier kerkhof bestaat? In Beieren. Ze noemen het een plek met een levendige sterfcultuur. Wat een slogan! Zou van jou kunnen zijn.'

'Wat stoort je daaraan?'

'Wat mij stoort is dat het niet meer om de doden gaat, maar om de zelfportrettering van de levenden. Beloof me dat je me waardig en rustig dood zult laten gaan. Het liefst 's nachts. Op een dak … en bespaar me een proef-begrafenis!'

Maud buigt haar hoofd zo dat ze me over de rand van haar bril kan aankijken, en na een korte pauze die ont-staat omdat ik weiger terug te kijken, zegt ze: 'Hoe is het met je? En waarom stuur je me orchideeën? Je weet dat ik die bloemen niet uit kan staan.'

Nog steeds zonder Maud aan te kijken, antwoord ik ten slotte: 'Ik heb het gevoel alsof ik op de maan zit … En ik dacht dat je van orchideeën hield.'

'Onzin. Amalie hield van orchideeën. Ik hou van pi-oenrozen. En hoe weet jij nou hoe het er op de maan uitziet? Je bent er nog nooit geweest.'

'Maar zo voel ik me. Alsof ik er niet ben geweest.'

'Wat bedoel je daar nu weer mee? "Er" is geen plek en geen toestand, "er" is waar je …'

Maud doet haar zonnebril af en houdt haar fijne hand ter bescherming tegen de felle zon boven haar ogen. Een paar plukken van haar nog volle, witte haar dat ze onder een zijden sjaal tot een knotje heeft opgestoken, dansen in de wind.

'… thuishoort? Ik hoor nergens thuis. Ik ben een ver-laten echtgenote van begin veertig en heb het gevoel dat ik alles al ken … en dat ik alles al een keer heb gehoord en gezien.'

'Martha, het is onmogelijk twee keer dezelfde rivier in

te stappen. Jij en de rivier zijn altijd anders.'

Ik sla mijn brede wollen sjaal nog een keer om mijn hals, stop de twee uiteindes in de kraag van mijn leren jack en zeg, terwijl we langs het eilandje Jethou varen: 'Ik wil helemaal niet in een rivier stappen.' En ik sla mijn armen om mijn buik. 'Ik wil een punt vinden waar ik kan aankomen.'

'Dat is onmogelijk, Martha. Je op je Ik-bewustzijn gebaseerde gevoelens, gedachten en herinneringen spelen zich in verschillende gebieden van je hersenen af. Alles wat je denkt is fictie. Je brein is een verhaaltjesvertelwerk en je Ik een eindeloos verhaal. Waarom verlang je naar een saai punt? Ik snap niet van wie je dat hebt. Van mij niet. En je grootvader, God hebbe zijn ziel en je mag van hem denken wat je wil, kwam nooit to the point! Hij werd geboren, begon een eindeloze zin, en het maakt me nu nog waanzinnig dat hij gestorven is zonder zijn zin te beëindigen. Zijn laatste woord was "omdat". Dat is toch een vreselijk laatste woord?! Omdat. Omdat wat? Noem het bij de naam. Je verlangt niet naar een punt maar naar een man. Punt.'

Mauds kleine blauwe ogen fonkelen boven de rand van haar bril en blijven hangen in mijn vragende blik.

'Ik wil tenminste het gevoel hebben dat ik weet waar ik thuishoor,' zeg ik en ik denk aan Kladow. Toen opa vorig jaar was overleden en oma Amalie hem een paar maanden later was gevolgd, verkochten mijn ouders het huis om een vakantiewoning te financieren. 'Ik zou Kladow hebben gehouden,' voeg ik er zachtjes aan toe en ik staar naar de donkerblauwe zee. 'Dat had een vast punt in mijn leven kunnen worden.'

'Een punt heeft nul dimensie. Daar verlang je naar?' Maud geeft het niet op.

'Jij vindt een punt misschien saai, maar mij kan het niet schelen welke dimensie een punt heeft. Ik denk er ook niet over na of mijn leven in het centrum van het heelal plaatsvindt of in een afgelegen driedimensionale zak die deel uit zou kunnen maken van een hogere dimensionale kosmos.'

'Weet je nog die avond vlak nadat Tom was verdwenen? We lagen op het dak van de garage. Jij moest hoesten en ik vroeg of je het koud had. En toen gebruikte je het stomste excuus dat ik ooit heb gehoord.'

'En dat was?'

'Je zei: "Het gaat goed met me. Ik denk dat ik wat duisternis heb doorgeslikt." Martha, hou op jezelf voor de gek te houden en je gevoelens door te slikken.'

'Ik hou mezelf niet voor de gek. Ik probeer alleen maar mijn verstand niet te verliezen. Ik vraag me al dagen af of eenzaam en verlaten doodgaan zielig is of dat de dood het hoogtepunt van mijn zielige poging om te overleven is.'

'Denk je er weer over na hoe je begrafenis eruit zou kunnen zien?' vraagt Maud geamuseerd, en ze vertelt dat de Zweedse snoepfabrikant Roland Ohisson von Falkenberg in 1973 in een doodskist van pure chocola werd begraven. 'Hoe vind je dat?'

'Hou op er grapjes over te maken. Waar haal je de energie voor die galgenhumor toch vandaan?'

'Je leeft in een galgenhumoruniversum! Zelfs een perfect vacuüm is geen compleet lege ruimte. Het kwantumvacuüm is een borrelende plas van voortdurend verschijnende en verdwijnende deeltjes, die dankzij het onzekerheidsprincipe bestaan en maar voor een extreem korte tijd als paar naar de werkelijke wereld kunnen ontsnappen. Aan de afgrond van zwarte gaten kan het echter gebeuren dat een van die spookachtige deeltjes in de afgrond valt terwijl het andere ontkomt. Nog vragen over galgenhumor? Ik kan je alleen maar adviseren niet meer en détail maar en gros verliefd te worden.'

'Heb je het over de liefde of over eten?' vraag ik geïrriteerd.

Maud legt haar hoofd tegen mijn schouder en zegt lief: 'Kijk niet zo sip. Wat stoort je? Je verprutste leven?'

Het is volkomen onmogelijk met Maud een gesprek over de liefde te voeren zonder in het een of andere zwarte gat te belanden. Aan de andere kant ken ik niemand die zulke ongelooflijke verhalen kan vertellen als zij. Het duurt dan ook niet lang of Maud vertelt over een vrouw die in 1976 in Los Angeles in het bijzijn van twintig gasten met een 25 kilo zware rots is getrouwd. Of het huwelijk gelukkig was of eindigde in een scheiding was verder bijzaak, want wie met een rots trouwt heeft sowieso een bijzondere voorstelling van gelukkig zijn. En is een objectseksueel. Maud was daarvoor al op de bruiloft van Eija-Riitta geweest, een knappe Zweedse die in de jaren zestig halsoverkop verliefd was geworden op de Berlijnse Muur. In 1979 was ze ermee getrouwd, omdat ze droomde van de eeuwige liefde. Sindsdien draagt Eija-Riitta de achternaam Berlijnse Muur.

'Maar de Berlijnse Muur bestaat niet meer,' zeg ik.

'Zie je wel,' zegt Maud.

En terwijl aan de horizon een lange streep opduikt die Sark zou kunnen zijn, vraag ik me af waarom ik in een wereld die op mijn bestaan maar vage en gedeeltelijk ook tegenstrijdige antwoorden heeft verlang naar waarheid, hoewel mijn leven makkelijker is als ik lieg. Waarom reageer ik nog steeds geïrriteerd, hoewel ik weet dat er voortdurend wordt gelogen?

Toen Sepp destijds niet uit de toverdoos sprong, voerde mijn vader op zoek naar de waarheid lange tweegesprekken met de heilige Franciscus van Assisi en doneerde hij aanzienlijke sommen geld aan de kerkgemeente in Tutzing, wat er weer toe leidde dat ik, hoewel ik protestants was, naar catechisatie moest. Ik probeerde het katholieke beeld van een gelovige martelares zo goed ik kon vorm te geven en bereidde me erop voor Jezus te eten. Pater Pius had in de godsdienstles uitgelegd dat Jezus eten betekent dat je hem begrijpt en dat hij ons automatisch vergeeft als we hem begrijpen.

Mijn moeder twijfelde aan dit volautomatische wereldbeeld. Ze zei dat een mens in zijn mond stopt wat hij niet begrijpt en begon een les over seksualiteit en het ingewikkelde vrouwenbeeld van de heilige Maria, terwijl ik aan niets anders kon denken dan aan die arme Jezus aan het kruis die in een hostie leefde. Hij zat in die hostie. En hij was overal. En omdat ik de tien geboden uit mijn hoofd had geleerd en er nu iets mee moest, voelde ik me voor het eerst echt schuldig.

'O Heer, vergeef ons onze zonden, want we weten niet wat we doen,' baden we in koor. Mijn vriendin Sina wilde Jezus met spuug zo week maken dat hij zou oplossen. Ze wilde hem als het ware verdrinken. Ik liet haar in de waan dat Jezus kan verdrinken en vertelde het aan opa. Hij stelde voor de hostie kapot te bijten, omdat ook Jezus niet twee keer dood kan gaan.

Dat antwoord overtuigde me, maar stelde me niet gerust wat mijn duistere toekomst betrof: communie, bruiloft, begrafenis. Mijn zorgeloze dagen waren geteld, en alsof dat nog niet genoeg was, werd ik nu ook nog een kannibaal. Ik zou pater Pius het liefst hebben gezegd dat ik niets had gedaan wat je kunt nummeren … en dat ik twee, drie en acht zou gaan zeggen, hoewel dat een leugen was ... En dan wilde ik ook nog zeggen dat ik het veel erger vond om iemand te eten dan te liegen ... Ik begreep gewoon niet waarom iemand eten geen zonde is. En geen nummer heeft.

Pater Pius kwam steeds dichterbij met de kelk waar de hosties in zaten. Even later plakte het ronde gezicht van oneindige goedheid aan mijn gehemelte. Het smaakte naar zuurdesem. En toen kreeg ik een lumineus idee. Ik rolde Jezus op als een tapijt en werkte hem in de lengte naar mijn slokdarm toe waar ik hem doorslikte. Wat een waarheid.

9

Op open zee hebben de golven witte schuimkoppen. Ze slaan met zoveel geweld op de Franse kust dat ik ondanks de enorme afstand kan zien hoe het ziedende schuim hoog tegen de rotsen opspat. Maud vindt het schommelen van de boot prettig. Maar ik word elke keer duizelig als de veerboot van een golfkam de diepte in duikt. Mijn maag komt omhoog.

'Ga je mee naar binnen?' vraag ik. 'Het waait me te hard hier aan dek.'

Maud haalt een pakje crackers en een regenponcho uit haar handtas. Nadat ze de lelijke, dunne plastic zak over haar trenchcoat en hoofddoek heeft aangetrokken, geeft ze me de crackers.

'Langzaam kauwen. Dat helpt.'

'Niet nodig. Het gaat goed met me.'

'Je ziet groen.'

'Omdat ik het koud heb.'

'... en je te veel duisternis hebt doorgeslikt? Waarom geef je niet toe dat het niet goed met je gaat?'

'Als ik zeg dat het niet goed met me gaat kan ik mezelf niet meer voor de gek houden.'

'Mag ik je eraan herinneren dat het er in het leven niet om gaat jezelf voor de gek te houden?'

Ik stop de crackers in mijn jaszak en zeg: 'Goed. Ik moet nu naar binnen. Ik ben misselijk.'

'Goed zo,' zegt Maud en ze trekt haar capuchon vast.

Ik waarschuw haar dat ze zich goed aan de reling moet vasthouden om niet overboord te waaien.

Een tijdje later zit ik bij het panoramaraam. Ik verlies Maud en de horizon niet uit het oog. In de ruit zie ik het spiegelbeeld van een oudere man. Hij zit naast me. Als de horizon zich van zijn voorhoofd naar zijn markante kin verplaatst, kruisen onze blikken elkaar. Zijn leeftijd schatten is moeilijk, want zijn dikke, witte en door de wind verwaaide haar dat losjes op de opgezette kraag van zijn donkergroene Barbour-jack valt, verleent zijn uiterlijk iets tijdloos jeugdigs.

'Langzaam kauwen en je fixeren op de horizon. Als je weer vaste bodem onder je voeten hebt, wordt het beter,' zegt de man en hij kijkt me vriendelijk aan.

'Dank u. Ik hoop dat de crackers kunnen vermijden dat mijn maag in zijn achteruit gaat,' zeg ik tegen het spiegelbeeld.

'Ontspan je en probeer aan iets anders te denken. De angst om over te geven zweept de hormonen op die verantwoordelijk zijn voor de misselijkheid. Ik weet waar ik het over heb. Ik was vijfentwintig toen ik ziek van liefdesverdriet aanmonsterde op een vrachtschip, zonder te vermoeden dat het zou uitlopen op dertig jaar open zee. Nu raak ik niet eens meer van de kaart van een storm bij Kaap de Goede Hoop.'

'En het liefdesverdriet?'

'Dat is lang geleden.'

Een paar honderd meter voor de boeg breekt een zonnestraal door het gesloten wolkendek en werpt een magische vlek op het wateroppervlak. Het prachtige beeld had me kunnen afleiden, ware het niet dat een paar tegen de wind vechtende passagiers aan dek de hele tijd de licht kromme lijn van de horizon bewandelen. Op en neer. Op en neer. Een bordercollie loopt met opgeheven kop langs de reling. Ook op en neer. Hij kijkt naar het opgewonden gedoe van de boven de boeg cirkelende meeuwen.

'Is die hond van de kapitein?' vraag ik en ik bied mijn buurman een cracker aan.

'Dat is Chuck. Hij komt elke dag naar het eiland en vaart met de laatste boot terug naar Guernsey.'

'En van wie is Chuck?'

'Hij was van Eloïse Fleur. Zij kwam van Guernsey en ontmoette stiekem haar minnaar op Sark. En op een dag kwam Chuck alleen ... Mag ik me even voorstellen? Alistair Talbott.'

Als Alistair Talbott mijn naam hoort, glimlacht hij beleefd, ontbloot zijn tanden en knort een diep rollend: 'Knrrr, *funny name*.'

'*Very funny*,' antwoord ik teleurgesteld, en ik erger me opnieuw dat elke vorm van gelatenheid me wat deze kwestie betreft ontbreekt.

Toms achternaam is Heinz. Als de ketchup. Toen we trouwden besloot ik de soep te houden, omdat ik alleen in Europa, maar Tom wereldwijd in de schappen staat. Tom had graag Heinz-Knorr gewild. Maar dat vond ik niets. Ik bleef Knorr en Tom bleef Heinz. Dat we in de supermarkt in hetzelfde gangpad te vinden waren, had iets bindends. Op het idee Knorr met het gegrom van een hond in verbinding te brengen zou ik echter nooit zijn gekomen.

Om van onderwerp te veranderen vraag ik of Alistair zijn vakantie op Sark doorbrengt.

'Nee, of – als u zo wilt – ja. Ik ben op Sark geboren en er is voor mij geen mooiere plek op aarde.'

'Het is kennelijk niet zo'n grote plek op aarde,' zeg ik, kijkend naar het langwerpige eilandje dat aan de horizon opdoemt.

'Sark is met zijn ongeveer vijf vierkante kilometer het op één na kleinste Kanaaleiland. Het heeft vijfhonderdtachtig inwoners en twee vrijwillige politiemannen. Er gebeurt niet veel hier.'

'En het weer?'

'Vergelijkbaar met Devon en Cornwall. En een vleugje Rivièra. De warme golfstroom zorgt voor een bijna subtropisch klimaat. Alles groeit en bloeit bijna het hele jaar door.' Alistair voegt eraan toe dat het ook bij bewolkt weer raadzaam is een regenjas aan te hebben, omdat een soort watergordijn ervoor zorgt dat je na uiterlijk twee minuten buiten druipnat bent.

'Watergordijn,' herhaal ik peinzend, geheel nietsvermoedend wat dat zou kunnen zijn. Zo overdreven positief dat het bijna hysterisch klinkt zeg ik: 'Maar er zijn geen auto's, geen stroom en geen asfalt.'

'En je kunt nergens romantischer fietsen of koets rijden.'

Daarna vertelt Alistair over het wilde dierenrijk op Sark, waarvan de bewoners zich beperken tot konijnen, tuinspitsmuizen en ratten, omdat er geen grote reptielen en zoogdieren zijn.

'Maar er zijn wel mobiele telefoons, internet en televisie?' vraag ik voorzichtig.

Alistair Talbott staart naar de bewolkte hemel en zegt: 'Als het weer het toelaat … en de wind niet te sterk uit het westen komt. Bij slecht weer kun je overigens heerlijk slapen, lezen of urenlang gaan wandelen.'

Zonder te beseffen dat mijn kans op een depressie zoeven met drie vermenigvuldigd is, begint Alistair lyrisch te vertellen over de bizarre rotsformaties die tijdens nachten met vollemaan spookachtig aan de ronddolende zielen van dode piraten doen denken. Hij waarschuwt voor onvoorzichtige stappen die op de hoge klippen de dood tot gevolg kunnen hebben. En hij vindt dat ik absoluut de vele grotten moet gaan bezichtigen. 'Gigantische rotskathedralen waar je honderden meters in kunt afdalen.'

'Moet dat?' flap ik eruit.

'Nee, natuurlijk niet. Sark is ook een vogelparadijs.'

'Ik hou niet zo van vogels.'

'Waarom niet?' vraagt Alistair verrast.

'Ze zijn moeilijk te fotograferen. Je kunt met een vogel geen blokje om, en mee naar bed nemen kan ook niet. Vogels zijn, vergeleken bij honden en katten, niet marktrelevant. Begrijpt u?'

'Nee. Waarom wil je met een vogel naar bed?' vraagt Alistair geïnteresseerd.

'Het is het beeld. Een vogel heeft niets zachts, niets wat ik zou willen aanraken … Bovendien is één onvoorzichtige beweging voldoende om hem pijn te doen. Een hond is robuust, aanhalig en hij verstaat wat ik zeg. Maar een vogel? Kent u een vogel die gaat zitten als je "zit" zegt? Of die bij "poot" naast je komt fladderen?'

'Nee, maar ik weet dat vogels best robuust kunnen zijn en een eigen taal hebben, vele talen zelfs. Ze vertellen over liefde en haat, gulzigheid en angst, schoonheid en passie. Hoor je de meeuwen boven de boeggolf? Dat zijn vluchttroepen. Zo houden ze contact met elkaar.'

Soepel tekent Alistair een paar lijntjes op een papieren zakdoekje.

'Zo ziet het spectrogram van een meeuw eruit.'

'Een Engelse meeuw?' vraag ik onbenullig en ik houd het zakdoekje verkeerd om.

'Interessant,' vindt Alistair.

'Wat is interessant?' vraag ik geïrriteerd.

'Wat je net zei. Wist je dat een haan in Duitsland "kiki-riki" zegt en in het Engels "cock-a-doodle-doo"?'

'Nee, dat wist ik niet. Eerlijk gezegd geloof ik ook niet dat je zoiets hoeft te weten.'

'Jawel, hoor! Het hof maken. Betoveren. Verleiden. Daar gaat het om. Ook bij vogels!'

Alistair buldert van het lachen en terwijl hij zijn adres onder het spectrogram zet, denk ik aan mijn vader. Hij sprak als hij op een luchthaven was altijd wildvreemde mensen aan om uit te vinden waarom de geliefde Japanse mop – 'Daar zijn tien mieren. Bedankt!' – niet wordt begrepen door een westerse toehoorder. Jammer dat hij Alistair Talbott nooit is tegengekomen. Ik heb het gevoel dat zijn humor erg Japans is.

'Waar was je?' vraagt Maud als ik weer bij haar aan de reling sta.

'Ik heb je droge crackers gegeten tegen de zeeziekte en ik heb Alistair Talbott leren kennen. Hij heeft ons morgenavond voor een etentje uitgenodigd.'

'Wat enig,' vindt Maud.

Een paar seconden later ontdek ik wat een watergordijn is, want plotseling en zonder dat het regent ben ik zo zeiknat dat mijn oogleden onder het gewicht van de met water doordrenkte mascara heel zwaar aanvoelen.

'Naar de grond kijkend, in plastic gehuld met ratten en muizen door de landerijen banjeren … is dat wat je zo fascineert aan dit eiland? Van een watergordijn was geen sprake toen we met elkaar belden,' zeg ik verwijtend.

Maud vindt dat ik overdrijf. Dat beetje H_2O. Ik sms ondertussen met Henk, omdat ik zo snel mogelijk, koste wat het kost, waterproof make-up, regenlaarzen, een beetje een leuke regenjas met bijpassende hoed en een straightener voor afrohaar niveau drie nodig heb.

Helaas is er geen ontvangst. En zo rest mij de weemoedige herinnering aan lang vervlogen dagen, toen ik nog een onverschrokken revolverheld wilde zijn. Wild. Voor niets en niemand bang. En onbetrouwbaar. Zoals Calamity Jane. En ik vraag me af wanneer en waarom ik een gebruikster van haarlak ben geworden.

Er landt een meeuw naast me op de reling. Hij trippelt even over het metaal voor hij weer opstijgt om zich met een andere meeuw in een avontuurlijke vliegmanoeuvre te storten, waarbij het er kennelijk om gaat een derde meeuw te imponeren. Het tikkende geluid doet me denken aan de korte, haastige dribbelpasjes van mijn oma die door het huis schalden, omdat de hakken van haar elegante slippers met metaal waren beslagen. De rozerode satijnen schoentjes met donzen pompon waren een huwelijkscadeau van haar zus geweest en werden door oma decennialang alleen in de slaapkamer en van de slaapkamer naar de badkamer en terug gedragen.

Toen opa oud en broos was maar oma nog steeds in haar slippers paste, maakte ze voor haar man af en toe een extra pasje. Dan sloot opa zijn ogen en glimlachte – klik-klak-klik-klak – naar het verleden.

'Klik-klak,' fluister ik en Maud kijkt me verbaasd aan.

'Wat zeg je?'

'Oma's slippers.'

'Ach ja, nu je het zegt.' Maud rolt met haar ogen, omdat ze met die slippers nooit iets kon beginnen. Ze zegt dat ze bij dat geluid aan fotonen moet denken die als piepkleine projectielen door de ruimte schieten en als ze op een detector stuiten hoorbaar worden: 'klk-klk-klk'.

'Oma was ook een klein projectiel. Op en neer. Heen

en weer. Onophoudelijk, de hele dag.'

En dan vertel ik Maud over oma's list en Toms liefdesbrieven.

'Amalie en Gustaaf zouden ook zonder die brieven nooit uit elkaar zijn gegaan. Ze konden zich niets anders voorstellen in het leven. Ze zouden alleen in een andere vorm bij elkaar zijn gebleven. En Tom zou hoe dan ook bij je zijn weggegaan,' zegt Maud.

'Waarom?'

'Omdat jullie verwachtingen met betrekking tot geluk op een noodlottig misverstand berusten.'

'En dat is?' Ik wil het antwoord eigenlijk helemaal niet horen.

'Het geloof dat geluk iets met het perfecte tijdstip te maken heeft. Eerst was Tom niet succesvol genoeg om een gezin te onderhouden. Toen werkte hij te hard om tijd voor een gezin te hebben. Toen wilde hij een kind, maar wilde jij nog wachten, omdat je net de carrièreladder aan het beklimmen was. En toen het tijdstip voor jou perfect was om kinderen te krijgen, was het voor Tom al voorbij.'

'Maar het perfecte tijdstip bestaat.'

'Er bestaat een voorstelling en een idee van ons leven dat ons ertoe verleidt te denken dat iets op een bepaald tijdstip moet gebeuren. Of niet.'

Als de veerboot stipt op tijd aanlegt in de haven van Maseline en de meeuwen opgewonden aan land vliegen, probeer ik het verschil te horen tussen koeren en krijsen. En ik denk aan Toms baltskreten. Zijn tedere koosnaampjes. De telefoontjes tussendoor. Bloemen. Verrassingen. Uitnodigingen voor dinertjes. En de belofte in goede en slechte tijden bij elkaar te blijven.

Ik vraag me af of dit het perfecte tijdstip is om rechtsomkeert te maken.

10

De koffer met de telescoop is het zwaarst. Eerst draag ik hem de 34 treden van de havendam op, waarna ik op een klein rotsplateau heel even op adem kom voor ik een tunnel in verdwijn die de enige verbinding met het eiland is, omdat steile rotsen op deze plek honderd meter hoog uit zee oprijzen.

Aan het einde van de tunnel betreed ik een wereld waarin de tijd is blijven stilstaan. Geen stadslawaai. Geen dorpslawaai. Helemaal geen lawaai. Getjilp. Gezoem. En mensenstemmen.

Als ik met de laatste koffer bij de paardenkoets aankom, die bij een weelderige bloemenwei op een landweg staat te wachten, hoor ik hoe Maud een geanimeerd gesprek voert met Alistair.

'Als uilen de enige vogels zijn die blauw kunnen zien, zou ik maar wat graag een uil willen zijn. Wat een pech voor al die andere vogels!'

Alistair Talbott gnuift en legt terwijl hij Maud de koets in helpt uit dat 'pech hebben' en het woord 'pechvogel' oorspronkelijk stammen uit de middeleeuwse vogeljacht. De jagers bestreken takken met pek, *Pech* in het Duits, waar de pechvogels dan aan bleven plakken. Zo werden ze gevangen.

Ik ben nog steeds buiten adem van het gesleep als ik Alistair hoor zeggen: 'Tot morgen! Om zeven uur bij mij!'

En als hij op zijn rammelkast wegfietst, tjilpt Maud: 'Cock-a-doodle-doo!'

'Weet je überhaupt wat dat betekent?' vraag ik, en ik klim naast de koetsier op de bok, omdat de koets met Maud en vier koffers en een reistas vol is.

'Omdat het om het geluid van een haan gaat, neem ik aan zoiets als goedemorgen,' zegt Maud, en ze zwaait nog even naar Alistair voor die achter een enorme struik verdwijnt.

Het paard dat onze koets trekt heet Eternity. En zo lang duurt ook onze rit naar het hotel. Langs romantische weggetjes en schilderachtige huisjes hoor ik de wind en het gelijkmatige hoefgetrappel van de paarden. Ik denk aan Tom. Wat zou hij aan het doen zijn? Hij heeft sinds ons uit elkaar gaan niets meer van zich laten horen. Waarom ook, zou hij zeggen. Omdat nog niet alles is gezegd, zou ik antwoorden.

Horn's End ligt op een heuvel van waaruit je een fantastisch uitzicht op het eiland hebt. Mevrouw en meneer Horn ontvangen ons persoonlijk bij de receptie van hun over tien kamers en een eeuwenlange familietraditie beschikkende hotel. Die traditie houden ze in ere, want mevrouw Horn heeft het leven geschonken aan vier zoons, en voor ze op het idee komt om te vragen of ik ook kinderen heb, vraag ik Maud om de formaliteiten te regelen. Ik verdwijn naar mijn kamer, die met een gezellig tweepersoonsbed, een bijpassend nachtkastje, een commode en een grote kast is ingericht. Alles is antiek, ook de vloer van brede, lichtbruine planken. Op de muren zit lichtblauw behang en de gordijnen en de beddensprei zijn van lichtblauw linnen. Boven het bed hangt een vierkant olieverfschilderij van een theeroos met de naam

Louise Odier erop. Geen televisie. Geen internet. Maar wel twee grote hoekramen met roeden die je omhoog moet schuiven om ze open te doen.

Er zijn nog geen 24 uur voorbij sinds ik het met Angst over Oulu had. Moe van de korte nacht en de lange reis laat ik mijn natte kleren gewoon op de grond vallen, en na een hete douche ga ik in een grote handdoek gewikkeld op bed liggen.

Begeleid door het gedonder van onweer valt er dichte regen in een grote tuin die ik vanuit het raam aan mijn voeten kan zien liggen. Hij gaat naadloos over in een groot veld met bloemen. Alleen de uit vorm geraakte buxus, ooit bolvormig en rechthoekig geknipt, herinnert nog aan een tijd waarin huize Horn een ambitieuze tuinder moet hebben gehuisvest.

Uit het raam rechts van mijn bed zie ik de snel voorbijdrijvende donderwolken die hun door de wind verwaaide regenvlagen in zee laten vallen. Als reusachtige theaterdoeken. Om dit imposante spektakel beter te kunnen zien, neem ik met mijn kussen en mijn deken plaats op de vensterbank. Die is zo lang en breed dat ik er comfortabel op kan liggen. Als een vogel in zijn nest. Alleen broed ik niet op een ei, maar op mijn verprutste leven.

Waarom bouwen ze hun nest precies op de plek waar weer en wind zo onverbiddelijk zijn en elke vliegfout het einde kan betekenen, had ik Alistair in de haven gevraagd. Ik had gewezen naar de grote sterns die zich in de stormachtige stijg- en valwind tussen de adembenemend hoge rotsen lieten vallen of op lieten tillen om op de centimeter precies in hun nest terecht te komen.

'Het zijn stormvogels,' zei hij, en na nog een schril, kort 'Kjerie!' verdween hij met Maud de tunnel in.

Ik zette de koffer met de telescoop voorzichtig op de grond en keek naar de lucht. Ik wilde dat ik zo vrij kon zijn en net zo onverschrokken kon leven en liefhebben. De hoop dat afstand van Tom mijn angst voor het alleen-zijn zou verminderen was vervlogen. Hoe verder ik weg was van Berlijn, hoe groter mijn verlangen naar geborgenheid en nabijheid werd. Ik mis Tom. Zijn stem, zijn blik, de klank van zijn voetstappen, hoe hij mijn hand vasthield, me in zijn armen nam, één was met mij en ik met hem. Waarom vond onze liefde geen antwoord op het zwijgen? Waarom werd die stilte zo vraatzuchtig? Als een haai, die goed gecamoufleerd in de zee van verraderlijke overeenkomst afziet van taal. Omdat zijn slachtoffers geen toekomst hebben. Het hof maken. Betoveren. Verleiden. En daarna?

Vlak nadat ik van de veerboot af was, had een smoorverliefd paartje uitgerekend míj gevraagd een herinneringsfoto te maken van hun huwelijksreis. Het had me de grootste moeite gekost ze niet aan te vliegen. Hoe diep zal ik nog zinken? Ik. Een zinkend schip. Een vallende ster.

De regendruppels vallen nu in grote afstand van elkaar op het raamkozijn. Vanuit de tuin hoor ik kinderen lachen. Achter de buxus is een speelplaats. Ik begraaf mijn hoofd onder mijn kussen en duik onder in herinneringen. Ik wil niet alleen zijn, niet weer van voren af aan beginnen.

Stipt om zeven uur ontmoet ik Maud in de met kitscherige zeemansrekwisieten ingerichte Smugglers Bar. Ik heb het gevoel in de derde akte van *De Vliegende Hollander* terecht te zijn gekomen, als er een spookachtig gedreun uit het schip klinkt waardoor de zeelui angstig op de vlucht slaan. Senta stort zich van een rots af in zee en het schip van de Hollander zinkt in de baren. Ik laat mezelf zinken in een diepe oorfauteuil voor de open haard en voel me net zo eenzaam als de opgezette wezel achter me aan de muur. Mijn verlangen naar liefde en eeuwige trouw is namelijk niet alleen het centrale thema in het leven van de Vliegende Hollander, maar ook in dat van de zinkende Martha.

Maud drinkt gin-tonic en kletst over vandaag, het eiland en het weer. Ze vertelt dat haar telescoop een prachtig plekje aan het raam heeft en ze is helemaal enthousiast over de heldere hemel. En over Alistair Talbott. Ze kijkt uit naar haar eerste elektrisch onverlichte nacht.

'Denk je dat meneer Horn die wezel heeft gekend?' vraag ik. Ik wil ook iets positiefs zeggen.

'Hoe kom je daar nu weer bij? Natuurlijk niet. Ik vind het overigens smakeloos om dode dieren aan de muur te hangen,' zegt Maud en ze begint een gesprek met Cerryth, de barkeeper. Hij komt uit Schotland, is 24, zijn sterrenbeeld is Vissen, hij is vrijgezel maar verliefd op Nora, het kamermeisje. Die is daar niet van op de hoogte en dat moet ook mooi zo blijven.

'Waarom wil je niet dat ze het weet?' vraagt Maud en ze bestelt nog een gin-tonic.

'Omdat ze verliefd is op Paul, de kok.'

'Aha ... en Paul?'

'Paul houdt van Emma, het keukenhulpje. Maar zij is weer op Simon, de ober. En hij houdt van Jane, het kamermeisje.'

'En Jane?'

'Jane houdt van Percy, de tuinier.'

'En Percy?'

'Die houdt geloof ik van meneer Horn.'

'En mevrouw Horn?' meng ik me in het gesprek.

'Tussen u en mij ...' begint Cerryth, en hij kijkt schielijk om zich heen voor hij verder praat: '... ik geloof dat mevrouw Horn van mij houdt. Afgezien van haar kinderen, natuurlijk.'

'Aha.' Maud knikt bedachtzaam, alsof ze een belangrijke tip heeft gekregen over wie de moordenaar zou kunnen zijn. En ze voegt er veelbetekenend aan toe: 'Dan is dus alleen meneer Horn niet ...'

'Ja, en master Horny, de hond.'

'Ach, ja. Die was ik even vergeten,' zegt Maud verontschuldigend. En na een moment zwijgen vraagt ze: 'Is dit gedrag typisch voor Sark?'

'Hoe bedoelt u?'

'Nou, dat je dicht bij huis blijft om verliefd te worden.'

Cerryth kijkt Maud nogal niet-begrijpend aan en zegt, voor hij ons en de overige gasten verzoekt hem te volgen naar de eetzaal: 'Hoe kun je hier op Sark ver van huis gaan dan?'

Ik help Maud omhoog uit haar oorfauteuil en volg haar zwierige gin-tonictred door de openstaande deuren naar het aangrenzende restaurant. We nemen plaats aan een van de zes ronde, voor vier personen gedekte tafels. Van Simon, de behendige en enige ober die zich op ongekende manier voortbeweegt, energiek joggend, horen we dat we onze tafel bij ontbijt en avondeten met een gast zullen delen die net is aangekomen.

Een paar minuten later worden we begroet door een voluptueuze vrouw. Ze spreekt Engels met een Russisch accent, heeft een bleke, gave huid, gitzwart haar dat perfect past bij haar zwarte zijden kaftan en een broek met smalle snit. Verder heeft ze een bril op met zulke grote, donkere glazen dat ik het gevoel heb tegenover een reusachtige vlieg te zitten.

De vlieg heet Madame Charlotte en is astroloog en helderziende. Omdat Maud al bij het voorgerecht niet kan begrijpen hoe sommige mensen serieus kunnen geloven dat hun levensweg op een sterrenkaart staat en hardop zegt dat ze astrologie planetaire onzin vindt, voelt Madame Charlotte negatieve energie. Ze klaagt over een lichte migraine en praat vanaf dat moment alleen nog maar met mij. Over Jupiter. Uranus. Saturnus.

Ik negeer Mauds ironische commentaar en vraag Madame Charlotte terloops wat ze van Venus vindt. Ik heb de dringende behoefte zo snel mogelijk een gesprek onder vier ogen met haar te voeren. De Smugglers Bar zou hiervoor een geschikte plek kunnen zijn, nadat we het avondeten afsluiten met een kort welkomstwoord door meneer en mevrouw Horn. Helaas wil Madame Charlotte in Mauds aanwezigheid niet in mijn toekomst kijken. Ze wil liever naar bed, want ze is van plan vroeg op te staan. Ze verwacht van de bizarre rotsformaties aanwijzingen voor karmische coïncidenties.

Maud glimlacht vermoeid. En ik drink een whisky te veel.

De volgende ochtend word ik om tien uur gewekt door vrolijk kindergelach. En door Maud. Ze staat in regenlaarzen en in haar poncho gehuld, de capuchon min of meer op haar hoofd, naast mijn bed.

Als ik haar verzoek in de namiddag nog eens terug te komen en de kinderen ergens anders heen te sturen, omdat hun levendige spelletjes me eraan herinneren hoe geteld mijn zorgeloze dagen zijn, trekt Maud de gordijnen open. Zo moet ik de dichtbewolkte hemel boven de grijze zee wel zien.

'Hou toch eens op met je zelfmedelijden,' zegt ze.

Terwijl ik me op mijn zij draai en de deken over mijn oren trek, voorspel ik: 'Tom zal nog wel zien hoe het is zonder mij. Niet vandaag. Niet morgen. Niet overmorgen. Maar de dag zal komen. En dan is het te laat. Ik zou me het liefst ophangen …'

'Rondhangen, doorhangen, ophangen. Het wordt pas echt interessant als we naar boven hangen,' mompelt Maud. En nadat ze mijn deken met een ruk van het bed heeft getrokken, zegt ze verbaasd: 'Kun je me uitleggen waarom je in een mannenzwembroek slaapt? Het is belachelijk. Je bent een volwassen vrouw.'

'Het is Toms zwembroek. Ik word er rustig van. Geel ontspant.'

Lusteloos sta ik op uit bed. Ik wankel de badkamer binnen, slik twee aspirientjes, neem een douche en kleed me aan. En als we na een uitgebreid ontbijt meneer Horn en zijn hond master Horny ontmoeten, stel ik vast dat op dit eiland zelfs de honden er behuild uitzien.

Maud vindt na een korte blik in mijn ogen dat Sark gewoon de perfecte plek is om te huilen en roept daarna met haar blik op een mistig wolkenveld enthousiast: 'Wat een grandioos uitzicht! Bij helder weer kun je Jersey zien liggen!'

Onze wandeling brengt ons van Dixcart Bay naar het zuidelijke schiereiland Little Sark, dat alleen over de spectaculaire bergkam La Coupée te bereiken is. Aan weerszijden van de kam gaat de afgrond steil de zee in. En terwijl ik probeer Tom te vergeten, leest Maud hardop voor uit de reisgids.

Als ze per se de chocoladefabriek Caragh Chocolates wil bezichtigen, weiger ik met haar mee te gaan. Het bedrijf is namelijk gespecialiseerd in huwelijkscadeaus. En zo slenter ik in plaats van langs *cream & vanilla hearts*,

amandelschaafsel, pistachenootjes, hazelnoten en aman-
delpraline langs dikke muren met smalle schietgaten. Ik
loop door een sierlijke smeedijzeren poort, laat een
boomkroon waar een termietenheuvel uit groeit achter
me en volg een laan waar een sprookjesachtige duiventil
staat. In een rozentuin met fontein, doolhof en zonne-
wijzer ga ik slechtgehumeurd in het gras op Maud liggen wachten. Zoals afgesproken.

Het is de idylle overal om me heen die me gek maakt.
Een idylle is alleen een idylle als je zin hebt in idylles. Als
je er geen zin in hebt, is elke idylle een martelgang.

Na een kleine eeuwigheid verschijnt Maud eindelijk.
Ze snapt absoluut niet dat ik direct naar het hotel terug
wil. Naar mijn niet-idyllische bed. Of naar mijn vensterbank. En terwijl we met de kleinste koets die ik ooit heb
gezien langs ontelbaar veel in baaitjes voor anker liggende zeiljachten rijden, eet ik een zakje amandelschaafsel leeg en laat ik niet alleen het schilderachtige landschap, maar ook Mauds voordracht over werkelijkheid
en waarneming langs me heen gaan.

Ze bekritiseert mijn dwangvoorstelling dat er voor elk
ding een ideale gedaante moet zijn en wil weten waarom
ik denk dat uitgerekend op mij een ideale gedaante in de
vorm van een mannelijk mens wacht. Zolang niet is be-
wezen dat die mens bestaat, moet ik eindelijk eens ophouden iets te missen waarvan ik helemaal niet weet of
het bestaat.

Ik zwijg. Ik mis Tom. Steeds weer. En nog steeds.

'Wat gaan we morgen doen?' vraag ik als we bij het
hotel aankomen.

'Morgen gaan we La Grande Grève bezichtigen,' zegt
Maud en ze gaat een dutje doen.

Ik ga op zoek naar Madame Charlotte en vind haar in

de tuin achter een rododendronstruik. Ze zit roerloos, in lotushouding, met haar ogen dicht en neuriet een alleen door haar ademhaling onderbroken lage toon.

'Sorry dat ik stoor, maar …' begin ik zachtjes, en ik hurk bij Madame Charlotte neer, '… kunt u me zeggen … ik bedoel … kunt u ook in het verleden kijken?'

Madame Charlotte onderbreekt haar geneurie om even naar lucht te happen. Als ik probeer haar pols te voelen, omdat ze omgeven door al het sappige groen nog bleker ziet dan normaal, verandert haar geneurie in een rochelend gesnurk. Ze valt opzij als een zak zout.

'Madame Charlotte? Madame Charlotte? Hoort u mij? U vat nog kou in het natte gras!' Ik ben oprecht bezorgd over mijn verleden.

Tevergeefs. Madame Charlotte knuffelt met het gras en ik sukkel naar mijn kamer om me om te kleden voor de avond. Beter gezegd: ik ruil mijn vochtige broek om voor mijn vochtige rok en trek er een naar moeras ruikend vestje op een muffige bloes bij aan. In mijn kamer heerst het klimaat van een Turks stoombad. Ik zou er probleemloos champignons kunnen kweken.

11

Als we even na zessen op pad gaan naar Alistair Talbott,
breekt voor het eerst het wolkendek open. Mijn kleren
drogen in de avondzon en mijn vochtige haar zwelt op
als een kant-en-klaarsoufflé in de magnetron. Ik zie eruit
als het kind van Marsha Hunt en Jimi Hendrix. Ik heb
altijd graag het bieslooksteile haar van mijn moeder willen hebben, die op haar beurt liever mijn krullen zou
hebben gehad. De afrolook was het destijds helemaal en
paste veel beter bij haar gekleurde sjaals, de wijde zijden
hippieoverhemden, de fluwelen broeken en de plateau-
zolen.

Boven mijn strakke grijze twinset, verwassen spijkerbroek en groene regenlaarzen doen mijn haren eerder
denken aan iets wat uit de hand is gelopen en wat dringend onder controle dient te worden gebracht voor het
autonoom wordt, een bedreiging.

Nadat we ongeveer twee kilometer hebben afgelegd
over een smalle veldweg, verschijnt aan een kleine baai
met smal strand een huisje, half verscholen onder een
enorme sering. De zon gaat aan de horizon onder in de
spiegelgladde zee. Boven ons een wolkeloze avondhemel.
Overal bloeien bloemen. Ik denk aan de onbekommerde
tijd van mijn eerste huwelijksjaren, toen een avond alleen voor de televisie mijn definitie van eenzaamheid
was. Daarop volgden talloze weekeinden alleen in de

stad, in het park, de bioscoop, de fitnessstudio. Omdat Tom dag en nacht moest werken. En de laatste jaren waren de eenzaamste uren de uren die we samen doorbrachten.

Maud blijft staan om van het uitzicht op Brecqhou te genieten en ik kijk in het voorbijgaan naar het eilandje vlak voor Sark dat van de puissant rijke Barclay-broers is, eigenaars van *The Daily Telegraph*. Ik vraag me af of ik er zonder helemaal op apegapen te komen liggen heen zou kunnen zwemmen. Om er voor altijd te blijven. Als dienstmaagd. Kamermeisje. Kindermeisje. Lady Barclay. Lady Martha Barclay. Uiteraard zonder Knorr. Gewoon alleen maar Barclay.

'Het uitzicht vanuit Havre Gosselin op Brecqhou is het mooist,' weet Maud te vertellen, en ze vergelijkt Tom opeens met een eiland, omdat gesloten mensen niet met zichzelf zijn opgesloten, maar van zichzelf en anderen zijn uitgesloten.

Ik ontken ten stelligste verliefd te zijn geworden op een eiland, laat staan ermee getrouwd te zijn geweest, en vind dat Tom noch opgesloten, noch gesloten, noch buitengesloten was. Vastbesloten. Dat was hij. Toen hij me verliet.

Alistair Talbotts bungalow staat door wilde knoflook omgeven naast een kapelletje en een schuur.

Maud is wildenthousiast. 'Wat mooi! Het uitzicht! Wat een liefde voor het detail! U bent vast een goede kok. En uw huis is vast het mooiste op het hele eiland!'

Verlegen vraagt Alistair ons hem net als zijn vrienden gewoon Tally te noemen. Hij gaat ons door de open terrasdeur voor naar een gezellige keuken waar het naar aardappelen, verse tijm, gebraden lam en oud touw ruikt. Een hanglamp met een kleine donkergroene glazen kap verlicht een rood-wit geruit tafelkleed op een ronde tafel. Erachter, tegen de muur, staat een zitbank, met daarnaast de spoelbak. Links daarvan staat een breed, oud fornuis dat op houtvuur wordt gestookt. Tegen de wand aan de andere kant van de keuken staat een keukenkast. Tussen de borden en glazen kleine herinneringen. Een zilveren vingerhoed. Een sneeuwbol met een verliefd paartje in een koets. Een paar schelpen. Een konijnenpootje. En een vergeelde ansichtkaart met de Eiffeltoren erop. In de lente. Naast de terrasdeur staat een open kast met potten en pannen. Op de kast liggen boeken en tijdschriften over vogels. Vogels. Vogels.

Ik ga op de witgelakte bank zitten en leun voorzichtig tegen de gebogen rugleuning aan. Hij geeft onder mijn gewicht een beetje mee. Maud gaat in een rieten stoel zitten die aan de koloniale tijd herinnert en uit een oude Engelse film zou kunnen komen.

Ik denk aan mannen in kakikleurige safaripakken en vrouwen in rijbroeken en perfect gestreken bloesjes. Bij 45 graden in de schaduw drinken ze rokend, zonder te zweten, voortdurend pure whisky zonder dronken te worden.

Wij drinken donker bier uit kruiken die Tally vele jaren geleden, toen zijn vrouw Helen nog leefde, ooit heeft meegebracht van het Oktoberfest in München.

Net als ik me begin te ontspannen, vraagt Maud naar de Barclay-broers, niet zonder te vermelden dat ik een alleenstaande vrouw van achter in de dertig ben. Ik glimlach verlegen en zeg bitterzoet: 'Tja.'

Dan vertelt Tally over zijn zoon Christiaan, die in Londen woont. Hij werkt als dierpreparateur. Alleenstaand. 45 jaar. Hobby's: wandelen en vliegvissen.

Maud vindt dat Christiaan mij, creative director, nog

net in de bloei van het leven, met als hobby's nacht-zwemmen en lezen, absoluut moet leren kennen. Ze verraadt in haar Australisch klinkende Engels dat ik, na vele jaren te zijn afgebeuld bij een groot reclamebureau, net heb besloten als freelancer te gaan werken, omdat ik eindelijk een gezinnetje wil stichten. Flauw dat uitgere-kend net nu mijn man is verdwenen.

'O,' zegt Tally. En de vreselijke stilte die dan valt is on-geveer even dodelijk als die toen Theodoor Pfister tij-dens de thee in elkaar zakte.

Maud negeert mijn wijd opengesperde ogen en de hou-hier-onmiddellijk-mee-op-grimas die mijn gezicht ontsiert als Tally even niet in mijn richting kijkt. Omdat ze er niet over peinst van onderwerp te veranderen, on-derbreek ik haar poging mij aan de man te brengen met een dringende vraag.

'Klopt het dat de vogels in Groot-Brittannië de doppen van melkflessen openscheuren en je soms verdronken vogels op hun kop in de melk vindt?'

'Hoe weet je dat?' vraagt Tally verbaasd.

'Het is de coverstory in het laatste nummer van *Bird Magazine*,' zeg ik, en ik wijs naar de stapel tijdschriften naast me op de bank.

'O, ja,' mompelt Tally verlegen en hij krabt zich achter zijn rechteroor. 'Ik moet die zooi nodig eens ordenen.'

Hij bergt de stapel tijdschriften op onder de bank en zegt: 'Het zijn er zoveel dat mijn zoon omkomt in het werk. Maar hij klaagt wel over de onnatuurlijke li-chaamshouding. Zo voorover gekiept. Dat is een relatief ongewone houding voor een zangvogel, vind je niet? Christiaan heeft zelfs gezien hoe een zwerm mezen een melkwagen volgde om nog uit de flessen te kunnen drin-ken voor ze zouden worden uitgeladen; een gedragspatroon dat ook in Zweden, Denemarken en Nederland is geobserveerd en dat heel bijzonder is als je bedenkt dat mezen zich nooit verder dan 25 kilometer van hun nest verwijderen.'

Nadat Maud een slokje bier heeft genomen, beweert ze dat afstand geen rol speelt voor een resonantierelatie. Tally is verrukt, omdat ook hij vindt dat nabijheid ontstaat door afstand. En terwijl die twee zitten te baltsen dat het een lieve lust is, krijg ik een droge mond. Hartkloppingen. En het gevoel dat ik mijn houvast verlies. Niet als een astronaut die elegant in het luchtledige eindelijk zijn capsule mag verlaten om zijn avontuurlijke droom van gewichtloosheid te verwezenlijken, maar als een met helium gevulde ballon die langzaam maar zeker leegloopt.

'Ik krijg geen lucht … eh … ik bedoel … het is hier erg warm,' zeg ik, en ik kijk naar het kapelletje op de licht aflopende weide die, waar hij in zee overgaat, een rafelige lijn trekt.

Ik vraag me af of ik de weg naar het hotel ook alleen zou kunnen vinden, want ik heb geen zin meer om in mijn baltsvrije zone somber te gaan zitten piekeren over een idioot perpetuum mobile dat, aangedreven door ons eeuwige verlangen naar liefde, een onophoudelijk rondedansje van geluk, ongeluk, geluk, ongeluk maakt.

Beminnen. Of bemind worden. Het maakt niet uit op wat voor afstand. Beide worden vroeg of laat een pijnlijke ervaring. En die verliest vroeg of laat aan betekenis. Maar waarom herhaalt de geschiedenis zich steeds weer? Waarom verliest die nooit aan betekenis? En waarom betekent Tom verdomme nog zoveel voor me?

Ik haal diep adem. In en uit. En zoals zo vaak als ik probeer me te concentreren op iemand die er nog veel erger aan toe is dan ik, denk ik aan Tessa Storm. Zij leed aan een gemene klierhyperfunctie. Ze mocht daarom niet meedoen met gym en ze had geen enkel sociaal contact. Ze was het eenzaamste meisje op school. In Kladow en op de hele wereld. Alleen als ze in de Wannsee zwom had ze een kans om vriendjes te maken. Met argeloze vakantiekinderen. Maar die maakten zich aan land onmiddellijk weer uit de voeten. In verbinding met zuurstof verspreidde Tessa namelijk een afschuwelijk zoetige geur van verrotte bananen en oude kaas.

Ik had medelijden met Tessa en bedacht een spelletje waar zij ook aan mee kon doen. Het heette 'Oud Egypte'. Ik was de dood, belichaamd in een Egyptische maagd, en Tessa was de weeïge geur van vergankelijkheid. Mijn bijverschijnsel als het ware. Merkwaardig beschilderd en in zwachtels gewikkeld liepen we door Kladow.

Dit had tot gevolg dat ook ik een aantal vriendschappen kwijtraakte. Oma moest zelfs bij de pastoor, de schooldirecteur en de tandarts komen uitleggen hoe ik op zo'n gestoord spelletje was gekomen. Oma vond dat opa en zijn compost verantwoordelijk waren en ze stond erop dat hij het ging uitleggen. Opa weigerde echter de kwestie te becommentariëren. Ook stemde hij niet toe in een rondleiding op de plaats delict.

Maud ruimt de tafel af en zet de kommen en borden in de grote, uit steen gehouwen spoelbak, die een beetje op een drenkplaats voor paarden lijkt. En terwijl ze een ketel op het vuur zet, vertelt Tally hoe hij zijn eerste gele mees had geprobeerd te vangen. Vogels met een blauwgerand petje en een donkere streep rond de ogen. Hun gezang is helder en hoog en bestaat uit één tot drie heel hoge en zuivere lager wordende ingangselementen met een aansluitende diepe triller. Hij had wekenlang op de loer gelegen en urenlang 'Tii-ti-tirr, zii-ziii-tututututu' geïmiteerd, of 'Dii dide lilililit'.

Soms antwoordde een mees ook en varieerde de lettergrepen: 'Gji-gji, zi-zi-tutu, zi-du-du zeze di zeze zi-du', of: 'Zizidedede'.

Toen hij op een dag nog maar een paar centimeter van zijn doel was verwijderd, verscheen er opeens een bij die zich sterk aangetrokken voelde door Tally's neus. Tally moest niezen. De bij stak en de mees fladderde met een opgewonden 'Tsjerretrete' weg. De bij vloog erachteraan. En Tally kon nog net voorkomen dat hij in het niets viel.

Sindsdien herinnert een twee meter lang touw hem aan het feit dat hij niet kan vliegen. Een uiteinde zit vast aan zijn broekriem en het andere, bevestigd aan een haring, stopt hij in de grond.

'Wat zou de mees hebben geroepen als hij was gevangen?' vraagt Maud. Ze stroopt haar mouwen op en gooit een theedoek naar Tally toe.

'Ksjri-ksjrii, of ksii', zegt Tally.

Ik vraag me af of hij tijdens zijn huwelijk ook zo attent en vermakelijk was. Was zijn passie op een dag ook gewoon verdwenen? Opgeslokt door de sleur van alledag, het vraatzuchtige monster dat alles opschrokt en steeds meer wil, tot er niets meer over is behalve het verlangen naar de minste weerstand, dat dan meestal aan het einde van de werkdag in de gedaante van een begrijpende assistente verschijnt. Omdat de arme man zich op het hoogtepunt van zijn carrière verveelt en hij getroost wil worden, niet vermoedend dat er geen ontkomen aan is, omdat alles om hem heen deel van zijn verveling is. Consumeren. Verteren. Vergeten.

Tally wacht gespannen af. Het lijkt wel of hij bij de Klondike goud staat te wassen. En terwijl hij van elk gewassen bord een kleine sensatie maakt, voel ik me eenzamer dan Tessa Storm ooit geweest is.

'Een man mag nooit denken dat hij iets bezit. Dat is zijn einde,' had oma Amalie ooit bij het avondeten gezegd.

'Háár einde,' had opa droogjes gecorrigeerd, en hij had beweerd dat getrouwde vrouwen te vaak vrouwen zijn met verkeerde denkbeelden. Daarna ging hij naar bed, waarop oma vergat mij naar bed te sturen, omdat ze met Maud discussieerde over aanspraak op eigendom. Ze citeerde Marx en Engels en legde een verband tussen de levensomstandigheden van mensen en hun gedachten, om na moraal, ethische ideeën, schoonheidsidealen, enzovoorts, uiteindelijk zoals altijd bij de mier terecht te komen.

Ik loop over het smalle kiezelpad dat van Tally's huis over een rechthoekig, kort gemaaid stuk Engels gazon naar het kapelletje loopt en kijk naar de spiegelgladde zee, waarin ontelbare lichtpuntjes hun miljoenen jaren durende reis door het universum beëindigen. En ik denk aan Henk.

In een vanmiddag bij de receptie van Horn's End aangekomen fax ontraadt hij me uitdrukkelijk mijn gedachten de komende weken serieus te nemen, omdat mijn hersenen even van de kook zijn. Een gebrek aan neurotransmitters dat ontwenningsverschijnselen veroorzaakt. Door de scheidingsschok. Een onderschat fenomeen, dat niet alleen leidt tot slapeloze nachten, vraatzucht en gebrek aan eetlust, maar ook tot irritatie, woede en haat. De meest voorkomende oorzaak van zelfmoord. Henk stelt voor de maan, de sterren en de zee zo goed en zo kwaad als het kan te negeren en hij feliciteert me met het doorstaan van de eerste twee fases, namelijk protest

– respectievelijk de poging tot lijmen – en woede en berusting.

Hij waarschuwt ook voor de ophanden zijnde rouw-fase en stelt voor me te komen opzoeken. In deze moeilijke tijd helpt óf een goed gesprek met vrienden, óf een seksueel avontuur. Daar zou Honky Tonk zich graag voor ter beschikking willen stellen. Hij zou mijn gebrek aan gelukshormonen kunnen compenseren. Moest Henk even doorgeven. Maar hij schrijft niet waarom uitgerekend papier-maché de serotoninespiegel in mijn hersenen zou verhogen.

Voor ik de kapel binnenga doe ik mijn ogen dicht. Het geritsel van de bladeren in de wind klinkt ver weg, net als het geruis van de golven. Verder is het ongekend stil. Heel anders dan de onverbiddelijke stilte gedurende het middagdutje van mijn grootouders. Of de zwaar op de maag liggende stilte tussen mijn ouders, als na een lange discussie de argumenten op waren. Toms vacuümstilte was de meest verterende geweest. Die verslond alles. En je kon er niet aan ontsnappen.

Voorzichtig duw ik de zware, op versleten pinnen hangende poort van de kapel open en kom in een ongeveer zes bij vier meter grote ruimte voor een van het plafond tot de vloer gespannen zwart net te staan, dat het kleine middenschip in de breedte in tweeën deelt. Door enkele ontbrekende dakpannen valt er vaal maanlicht op de uitgesleten stenen vloer. Hierdoor herken ik achter de grove mazen van het net aan de andere kant van de ruimte een uit hout gesneden madonna in een nis, met daaronder tegen de muur een altaar. Eigenlijk is het een houten tafel met sierlijke poten en een rechthoekig marmeren tafelblad met afgeronde hoeken. En twee kerkbanken ervoor.

Terwijl mijn ogen gewend raken aan het zwakke licht, zoek ik tevergeefs een gat in het net. En ontdek overal vogels. Vijf. Tien. Nee, meer. Het zijn er minstens dertig. Slapend. Onbeweeglijk en op een vreemde manier met elkaar verbonden. Ik moet aan de merel denken die op een dag per ongeluk door het open slaapkamerraam van mijn grootouders gevlogen was en wild fladderend naar de hemel zocht.

Oma riep: 'Eerst de mieren en nu de vogels!' En ze sloeg wanhopig haar handen tegen haar hoofd.

Opa haalde het visnet uit de schuur. Maar hij kon het wilde gefladder niet stoppen. De vliegbewegingen waren veel te onberekenbaar en de willekeur van de paniekerig fladderende vogel werkte verlammend.

Toen het beest eindelijk de weg naar de vrijheid had gevonden, verliet opa de slaapkamer zwijgend. En terwijl oma huilend het raam dichtdeed, rolde ik me uit het zware brokaten gordijn waar ik me in gewikkeld had. Stil keek ik naar de kleine matzwarte vogel, die op de bovenste tak van een sierkers was gaan zitten en zijn vleugels zat te poetsen.

Hij zong: 'Tsink, tsink, tsink', en vloog weg, ons sprakeloos achterlatend.

De angst van een vogeltje had ons in zijn greep. Ik herinner me nu nog de hulpeloosheid en de nachtmerries waarin ik door een klein met de vleugels slaand snaveldier word bedreigd. Het ergste monster dat er bestaat. Het vloog mijn kamer binnen, mijn bed in, mijn hoofd in en mijn buik. En ik lag daar maar en kon me niet bewegen.

Ik loop weer naar binnen en vraag Tally naar de vogels.

'Overdag kunnen ze overal naartoe vliegen. Waar ze maar willen,' fluistert Tally. Maud zit naast hem en krijgt niets over haar lippen van verbazing.

'Ik heb ze stuk voor stuk overgehaald om in mijn orkest mee te spelen.'

'Overgehaald?' vraag ik, en Maud schraapt haar keel voor ze haar armen over elkaar slaat.

'De nachtegaal daar in de vensterbank was een van de eerste die mijn geduld beloonden. Hij is de eerste viool. Zijn loepzuivere tonen bestaan uit maar één frequentie, net als de tonen van de twee matkoppen daarginds op de bank. Maar er zitten ook vogels in mijn orkest die twee-stemmig fluiten. De vluchtroep van de twee huiszwaluwen bijvoorbeeld klinkt als een hard "Prt" als je in de buurt bent, alsof je twee kiezelstenen tegen elkaar aan wrijft. Maar van een afstandje klinkt het zacht en melodieus.'

Tally tuit zijn lippen en zegt: 'Bruut.' Na een paar seconden wordt er geantwoord met een hard 'Prt'.

'En wat spelen ... ik bedoel, zingen die twee huiszwaluwen?' vraag ik.

'Klarinet. Maar het duurt nog wel even voor mijn droom van een compleet vogelorkest vervuld is.'

Nadat we aan drie trombones, twee fluiten, twee fagotten, twee hobo's, zes contrabassen, vier hoorns, een triangel, een harp, acht cello's, tien tweede violen en twaalf eerste violen zijn voorgesteld, lopen we genietend van de zoute avondwind om het huis heen. Daarna drinken we hete pepermuntthee bij het laaiende haardvuur.

Tally wakkert niet alleen het vuur in de haard aan, maar ook Mauds ontspruitende fascinatie voor de kunst van de vogelkunde. Vol overgave imiteert hij de duik van een albatros. Dan springt hij van een krukje, doet zijn armen opzij, om ze vervolgens net als een duiker voor zijn hoofd uit te strekken. Hij hupt als een kraai door de kamer en vertelt enthousiast over het plezier in het horen en herkennen van vogelgeluiden, nadat hij ademloos op de geellinnen bank is neergeploft. Een *scientia amabilis*. Ons leven zou veranderen door een eenvoudig uitgevoerde 'vluchtzang' of de tijdens een showvlucht gezongen 'zangvlucht'! Om van de volzang in de voortplantingsfase nog maar te zwijgen!

Ik vecht tegen de vermoeidheid en zie hoe Maud op een vreemde manier van een vrouw op leeftijd muteert tot tiener. Tally imiteert nog even het geluid van jonge zangvogels en de herfstzang in de late zomer en buiten de broedtijd, die er ook toe dient om al ver voor het volgende broedseizoen het territorium af te bakenen. Ten slotte betreurt hij dat het irritante en zachte gezang van de *subsong*, die tussen jeugd en volzang vaak wordt verrijkt met vreemde imitaties, doet denken aan onze dubbelzinnige taal.

Als Tally de slaapkamer in verdwijnt om een bandrecorder te halen, verlies ik het gevecht tegen de slaap, en als ik na een paar minuten weer wakker word, zitten Tally en Maud op hun knieën op de vloer. Voor hen staan een op batterijen werkende bandrecorder en een microfoon met paraboolreflector, die net zo werkt als een fotografische telelens en een diameter heeft van tachtig centimeter.

Maud zou Tally het liefst meenemen naar het hotel om hem haar telescoop te laten zien. Dus spreken ze af voor de volgende dag.

Als we diep in de nacht teruggaan naar het hotel ben ik zo moe dat ik Tally vraag of hij ons zijn fietsen wil lenen. Maar Maud wil liever lopen. De avond was zo heerlijk en ze wil onderweg nog graag wat sterren zien.

12

Voor we de kleine baai verlaten, blikt Maud nog even terug.

'Weet je nog hoe je in wonderen geloofde en er elke dag minstens één gebeurde?'

'Dat is erg lang geleden,' zeg ik gapend. 'Tegenwoordig ben ik hoofdzakelijk vérwonderd. Over jou bijvoorbeeld. Je leurde vanavond met me alsof we op de kamelenmarkt van Pushkar waren.'

'Omdat jij zat te zeuren dat je klokje tikt. En je hebt gelijk ook. Zelfs een lang mensenleven duurt zelden langer dan 650.000 uur.'

'Wat een opluchting. Dan snap je zeker wel dat ik mijn laatste paar duizend uur liever niet alleen wil doorbrengen?'

'Het begrip "alleen" sluit het woord "niet" uit, vind ik. Ik kan alleen één met mezelf, maar nooit met iemand anders zijn. Zelfs als ik op een stoel zit, zweef ik er een honderdste centimeter boven. De stoel en ik raken elkaar niet aan. Omdat zijn en mijn elektronen elkaar afstoten en weerstand bieden aan elke vorm van nauwer contact. We zweven naar elkaar toe, naast elkaar, en van elkaar weg.'

'Wat bedoel je daarmee?' vraag ik geprikkeld. We komen net de hoek om van de laan waar Horn's End aan ligt.

Maud kijkt tevreden naar de zee van esdoornbladeren die boven onze hoofden een ruisend dak vormen en antwoordt na enig gepeins: 'Jij droomt van het wonder der liefde, in plaats van te genieten van het wonder des levens dat je van een met protoplasma gevuld atoompje tot een voelend, rechtop lopend mens maakte.'

'En waarom droomt dan elk voormalig met protoplasma gevuld atoompje vroeg of laat van het grote wonder der liefde?'

'Je kunt van elke alledaagse situatie iets ongewoons maken als je het als iets beschouwt wat door het lot wordt bepaald. Stel, je loopt door het bos en op een bepaald moment kruist een miertje je pad. Hoe groot is de kans dat je van de miljoenen mieren die door het bos lopen uitgerekend deze mier op dat moment tegenkomt?'

'Ik was niet van plan om verliefd te worden op een mier …'

'Probeer toch eens te begrijpen hoe de dingen in het leven samenhangen.'

'Daar heb ik geen tijd voor,' zeg ik geeuwend, en ik doe de grote deur naar de hotellobby open.

'Je leven is een spel tussen neuronen,' zegt Maud, eveneens gapend. 'Spiegelneuronen zijn er bijvoorbeeld verantwoordelijk voor dat ik nu ook moet gapen. En als jij nu plotseling in paniek zou vluchten, zou ik ook gaan rennen.'

'En als ik verliefd word? Waarom wordt degene op wie ik verliefd ben dan niet ook automatisch verliefd op mij?'

'Verliefd worden is een hormonale stressaanval.'

'En een kus?'

'De complete analyse van een speekseltest.'

'En verlangen?'

'Hoofdzakelijk een chemisch proces.'

'Maar ík bepaal toch wie ik wil zoenen?'

'Onderzoek heeft aangetoond dat onze hersenen al van tevoren bepalen welke beslissing we een paar seconden later gaan nemen.'

'Maar ik bén toch mijn hersenen!'

'Echt?'

'Ik wel. Ik denk en handel ernaar.'

'En je doet wat je denkt?'

'Oké, niet altijd. Maar dat zou betekenen dat mijn hersenen mijn leven bepalen? Zonder mij? Ik bedoel: ik ben toch wat mijn hersenen beslissen?'

'Je bent ontstaan omdat je hersenen zijn gegroeid.'

'Dat zou betekenen dat Tom me heeft verlaten omdat zijn hersenen dat wilden. Sorry, maar dat is me te abstract. Dat is zoiets als: ík vind je leuk, maar mijn hersenen kunnen je niet uitstaan. En mijn hart? Speelt dat geen rol?'

'Voor zover ik weet is dat gewoon een pomp die je lichaam door middel van ritmische contracties van bloed voorziet en zodoende de doorbloeding van organen verzorgt. Het geruststellende aan planeten is dat ze zich niet voortdurend afvragen of ze beter links- of rechtsom kunnen draaien. Het zijn onze hersenen die de vrijheid om te beslissen eisen.'

'Wat ben je toch onromantisch, Maud. Mijn hart breekt van liefdesverdriet en jij doet alsof het een kortstondig ritje door het spookhuis op de neuronenkermis is.'

'Zo is het. Het gaat voorbij. Na de scheiding van mijn man heb ik me voorgenomen het spookhuis nooit meer binnen te gaan. Ik leg ook nooit meer mijn hand op de kookplaat om te voelen of die nog heet is. Maar dat betekent niet dat ik opgehouden ben met koken.'

'Verteerd worden van verlangen, branden van passie, je verstand verliezen van jaloezie: dat is toch waar een grote liefde over gaat?'

'Daar gaan grote tragedies over. En die hebben zo hun charme. Weet je nog dat Amalie bijna was verdronken in de Wannsee, omdat ze opa wilde laten schrikken? Ze vond dat hij haar te weinig aandacht schonk. Gelukkig hoorde de buurvrouw haar geschreeuw om hulp.'

'Ik weet niet meer wat ik moet geloven, wat ik hoor, voel, zie … of wat ik niet zie. Ik heb het gevoel dat ik mijn verstand verlies. Ik vind het zo moeilijk te accepteren dat het met Tom nooit meer zo wordt als toen het nog fijn was.'

'Je kunt de tijd niet terugdraaien,' zegt Maud, en ik volg haar door de lobby.

Bij de receptie liggen twee boodschappen van Henk.

19.30 uur: Tom wil weten waar je bent. Ik heb het hem niet verteld.

22.44 uur: Tom wil zijn gele zwembroek terug. Ik heb hem niets verklapt, maar Honky Tonk heeft hem verteld dat zijn zwembroek op vakantie is op Sark. Sorry. Wat doe ik nu?

'Ook dat nog. Wat dacht je van een goed bericht, voor de verandering?' mompel ik en ik verfrommel de notities.

Maud pakt onze kamersleutels uit het hangkastje bij de receptie en verdwijnt na een vluchtig 'Welterusten' haar kamer in.

Ik sla een flesje cognac uit de minibar achterover,

schuif het raam open en toets Henks telefoonnummer in terwijl ik met mijn bovenlichaam half buiten het hotel ga hangen, omdat er alleen op een bepaalde plek buiten het oude muurwerk een bruikbare ontvangst mogelijk is.

Na een halve eeuwigheid zegt Honky Tonk slaperig: 'We staan niet verkeerd geparkeerd en we hebben een hekel aan mensen die anderen midden in de nacht op-bellen.'

'Sorry, Honky Tonk. Ik ben het.'

'Ik?'

'Ja, ik. Martha.'

'O, jij.'

'Ja, ik.'

'Nee, jij.'

'Kappen nou! Het is niet lollig. Ik moet Henk hebben.'

'Henk is er niet. Hij is op reis.'

'Kom op, ik weet dat Henk er is.'

'Je kunt ook met mij praten als je een probleem hebt.'

'Oké. Zeg alsjeblieft tegen Henk dat hij me moet bel-len. Het is dringend. Ik moet hem spreken over Tom.'

'Voor zover ik weet is Tom op reis.'

'Met Henk? Onzin! Ik bedoel, waarnaartoe?'

'Naar een eiland.'

'Honky Tonk! Geef toe dat het jouw schuld is! Jij hebt me verraden!'

Honky Tonk imiteert gekraak op de lijn, daarna het geluid van een deurbel, en zegt nadat er drie keer is aan-gebeld verrast: 'Dat is ook toevallig! Dat moet Henk zijn. Wacht, ik geef hem even.'

'Hallo, Martha.'

'Hallo, Henk. Klopt het?'

'Ja, Tom vliegt morgen naar Guernsey en komt dan naar Sark.'

'Ik had de zwembroek ook best op de post kunnen doen …'

'Is het mogelijk dat het niet om die zwembroek gaat? Ik had de indruk dat hij iets van jou wilde …'

'Onzin!'

'Toch wel. Hij zag er nogal moedeloos uit. Zwembroeken veroorzaken doorgaans niet zo'n blik bij mannen …'

'Maar ik kan niet doen alsof er niets gebeurd is.'

'Dan moet je je goed verstoppen. Ik heb niet verklapt in welk hotel je zit. Zeg, je begrijpt dat ik nog even wil maffen. Het is één uur en …'

'Halftwee,' roept Honky Tonk bijtend op de achtergrond. 'Maar op Sark is het waarschijnlijk de hele tijd twee voor twaalf! Daarom gaan vrouwen bij wie het klokje tikt daarheen … en daarom noemen ze Sark ook het eiland van de miflijfpfisis …'

Henk houdt Honky Tonks mond dicht en wenst me een Tomloze nacht. En ik kijk naar de maan waar elke nacht miljoenen mensen naar kijken en vraag me af: waarom ik?

13

De volgende dag word ik huilend wakker. Ik ga huilend naar de badkamer en poets huilend mijn tanden. Ik douche huilend en kleed me huilend aan. Daarna kijk ik huilend uit het raam. Hoe ben ik in godsnaam op het absurde idee gekomen dat een elektrisch onverlicht eiland waar het woord 'zonlicht' tot het rijk der sagen en mythen behoort, goed zou kunnen zijn voor mijn aangetaste gevoel van eigenwaarde?

Maud is al sinds het ochtendkrieken op pad met Tally. Het eiland verkennen. Ze ligt in het gras, zit in bomen en observeert vogels. En ik ben definitief aangekomen in de rouwfase. Tot nu toe waren mijn dagen zonder Tom mijn nachtmerrie, maar afgelopen nacht verliet Tom me ook in mijn slaap. De nachtelijke tragedie eindigde in tranen, omdat zelfs John-Boy Walton niets meer van me wilde weten en liever op zijn zolderkamertje in zijn dagboek bleef zitten schrijven dan mij te verleiden.

'Welterusten, John-Boy,' zei ik.

'Welterusten, Martha,' zei John-Boy, verlegen lachend. Daarna moest ik moederziel alleen midden in de nacht door half Virginia lopen om een taxi te vinden.

Op weg naar het ontbijt vraag ik bij de receptie of er nog post voor me is. Simon, die eigenlijk als ober in het restaurant werkt en Cerryth vervangt, kijkt me medelijdend aan. Hij geeft me een pakje papieren zakdoekjes waarop staat: SARK – OM TE JANKEN ZO MOOI. En een Post-itje waarop in een moeilijk te ontcijferen hand-schrift geschreven staat dat Madame Charlotte om twee uur in de kleine grot in Deribart Bay op me wacht. Om-dat er echter geen Deribart Bay bestaat op Sark, beweert Simon dat Madame Charlotte vast Dixcart Bay bedoelt. Hij legt me uit hoe ik er kan komen en raadt me aan de fiets te nemen.

Alleen in een vakantiehotel ontbijten is net zo heil-zaam als met liefdesverdriet bij Tiffany's over de afdeling met verlovingsringen dwalen. Het arme ding. Ze had vast pech. Of ze is moeilijk. Hysterisch. Jaloers. Onge-duldig. In elk geval is het haar eigen schuld, fluisteren de blikken in mijn rug. En als ik aan een achteraftafeltje bij het raam ga zitten, doet iedereen of ik lucht ben.

'Koffie of thee?' vraagt Cerryth. Hij heeft zijn dienst geruild om in de buurt van Nora te kunnen zijn. Emma helpt in de keuken. Met een overdreven gebaar pakt hij de overtollige couverts van tafel. Ik zou hem het liefst vragen alles gewoon te laten staan. Er zou toch nog ie-mand kunnen komen? Ooit? Maar voor ik iets kan zeg-gen zit ik alleen aan een smetteloos wit tafellaken met daarop een piepklein bord en een kopje. Bewijzen van mijn aanwezigheid.

Droge mond. Paniek. Weg houvast. Geen astronaut, maar een belachelijk ballonnetje dat aan een tak blijft hangen. Geen grote tak. Een kleintje. Vlak boven de grond. Gewoon belachelijk.

Terwijl een groot Zweeds gezin aan de tafel naast mij vrolijk converseert, vang ik met het puntje van mijn tong een dikke traan op die over mijn wang is komen rollen. Ik staar naar het wazige, sappige groene gras. Alsof daar iets te zien is. En ik neem lusteloos een slokje thee. Prik wat in mijn Schotse zalm. Dan ren ik weer naar mijn kamer, om op de vensterbank te verdrinken in zelfmedelijden. Tom is zonder ziek te zijn geweest plotseling overleden. Geheel onverwacht en onder mysterieuze omstandigheden. En omdat ik niet de kans heb gehad om afscheid van hem te nemen, dreigt mijn hart te breken onder het gewicht van de herinnering. In duizend stukjes. Tom huilt zo machtig uit elke porie van mijn lijf dat het lijkt of mijn tranen mijn hele leven tot nu toe weg willen spoelen. Als een stortvloed. Alles met zich mee slepend. Zonder pardon. Zonder maren. Met een nooit, nooit weer.

Een uur later lig ik nog steeds op de vensterbank. Door het gebons op mijn kamerdeur merk ik dat de kamertelefoon op mijn nachtkastje al een hele tijd rinkelt. Slap neem ik op. Ik ga in bed liggen.

'Martha, waar ben je?' vraagt Henk bezorgd.

'In gedachten …'

'Oké. En waar ben je nu?'

'In bed.'

'Ben je ziek?'

'Ja. Ik moet de hele tijd aan Tom denken. Ik denk aan de afgelopen jaren. En dan moet ik huilen. Ik denk aan de komende jaren. En dan moet ik ook huilen. Ik begrijp er helemaal niets meer van. En dan huil ik. Toen ik Tom tegenkwam was ik zelfbewust en sterk. En gelukkig. En wat ben ik nu?'

'Een hoopje ellende,' zegt Honky Tonk op de achtergrond.

'Je bent nog steeds sterk. Je moet niet zo aan jezelf twijfelen,' zegt Henk. 'Tom is te zwak voor jou. Hij is degene met een probleem wat betreft zijn zelfvertrouwen. Begrijp je? Hij verlangt naar een vrouw die niet zo aanwezig is als jij. Eentje bij wie hij de ruimte krijgt. Eentje die zijn opgeblazen ego aanbidt. Ach, weet ik veel. Ik heb geen flauw benul wat Tom wil.'

'Hij wil gewoon de weg van de minste weerstand,' zeg ik zachtjes, en ik zie hoe een vlieg tevergeefs probeert door het gesloten raam zijn vrijheid tegemoet te vliegen.

Henk belooft dat alles goed komt. Ook omdat mijn straightener onderweg is. Hij komt in zijn handbagage morgen aan op Sark, samen met Honky Tonk. En de overige koffers, waarin zich hoofdzakelijk de nieuwe garderobe van Honky Tonk bevindt, omdat Henks moeder om therapeutische redenen is begonnen met naaien. Ze wil op die manier proberen te wennen aan het bestaan van Honky Tonk.

'Hoe lang doet ze dat al, naaien?'

'Geen idee. Vorige week kreeg ik opeens een volgepakte doos met de post. En de volgende dag werd er een nog grotere aangeleverd. Honky Tonk heeft nu overhemden in alle kleuren. En colbertjes van het fijnste garen. En een smoking, een donkerpaars fluwelen jasje, meerdere bandplooibroeken en een kamerjas van zijde met bijpassende pyjama. Ik ben de godganse tijd bezig hem aan en uit te kleden. Even tussen jou en mij: ik voel me benadeeld.'

Nadat de vlieg een aantal keer hard tegen de ruit is gevlogen, geeft hij zijn pogingen door een gesloten raam te vliegen op.

Ik zeg tegen Henk: 'Wat rot voor je. Misschien moet je er met je moeder over praten.'

'Met mijn moeder? Praten?' Henk is verbijsterd. Hij vergelijkt zijn moeder met Tom. Dat spreek ik tegen. Tom is geen van zichzelf buitengesloten eiland en ook geen therapeutisch naaiende moeder. Tom wil gewoon geloven dat hij met een jongere vrouw aan zijn zijde zijn dagelijkse sleur, en de dood, te slim af kan zijn.

Na op mijn horloge te hebben gekeken, spreek ik met Henk de volgende dag af bij de haven. Twintig minuten later bereik ik met de fiets de schilderachtige Dixcart Bay, waar ik tot mijn verbazing niet Madame Charlotte, maar wel meerdere grotingangen vind. Waar ik nooit vrijwillig in mijn eentje een voet binnen zou zetten. En omdat er zelfs geen echo op mijn geroep reageert, ga ik aan het strand zitten. Ik begraaf mijn voeten onder duizenden zandkorreltjes.

Dan ontdek ik Chuck tussen de rotsen die het strand omzomen. Hij komt met licht gebogen kop vriendelijk kwispelend op me af. Als hij voor me staat snuffelt hij voorzichtig aan mijn gezicht. Maar als ik hem wil aaien, wijkt hij uit. Zonder verder nog op me te letten loopt hij naar het water. Op een ontoegankelijke plek, waar de baai in een rechte kustlijn overgaat en steile rotsen ongenaakbaar de zee in vallen, verdwijnt hij achter een groot brok steen. Is opeens weg. Alsof de aarde hem heeft opgeslokt.

Ik wacht nog even. Op Madame Charlotte. Of op Chuck. Dan besluit ik naar de kapper te gaan. Als ik mijn leven al niet onder controle krijg, dan ten minste mijn haar.

Mevrouw Willaby's kapsalon is een geheime tip en bevindt zich op de vierkante overloop tussen de keuken, slaapkamer, woonkamer en badkamer van het lichtgroen geschilderde houten huisje van de eigenaresse. Geen uithangbord. Geen reclame. Ook de reisgids noemt deze uitsluitend aan de inheemse bevolking voorbehouden plek niet. Vandaar ook dat ik door de aanwezige dames wantrouwig word gemonsterd. Maar nadat ik de vriendelijke groeten van Tally heb gedaan en beloof deze geheime schoonheidsspelonk nooit te verraden, mag ik blijven.

Mevrouw Willaby bekijkt mijn haar en zegt zonder omhaal: 'Kind, weg ermee!'

Ik heb meteen vertrouwen in dit fijne vrouwtje dat zegt wat ze denkt en me aan Coco Chanel doet denken. Hoewel niets aan haar eruitziet als Coco Chanel. Mevrouw Willaby is weliswaar klein en haar armen en benen zijn zo tenger als die van een etalagepop uit de jaren twintig, maar haar gezicht en lijf zijn kogelrond. En hoewel haar donkerbruine haar pompeus is gekapt, maakt het een verwarde, ja haast wanhopige indruk. Wat bij Coco Chanel nooit het geval zou zijn geweest. Ook als ze misschien af en toe wanhopig was. Haar haar nooit!

Nadat ik heb plaatsgenomen op de middelste van de drie kapstoelen, hult mevrouw Willaby me in een geeloranje gebloemde plastic cape met gaten waar mijn armen doorheen moeten. Dan biedt ze me een sigaret aan.

'Nee, dank u. Ik rook niet.'

'Wees blij, kind. Nicotine is slecht voor je teint.'

'Het hele leven is slecht voor je teint,' zegt een onder handdoeken begraven vrouw rechts naast me onder een droogkap vandaan. Haar gezicht gaat verborgen onder komkommerschijfjes op kwark.

'Ach, Mary. Je overdrijft. Er zijn belangrijker dingen dan je teint.'

'Zoals?'

'Humor.'

'Het leven is ook slecht voor de humor,' klaagt Mary en ze snuift.

'Mary is ons zonnestraaltje,' zegt mevrouw Willaby pesterig. Waarop de vrouw links van mij, met een ovaal gezicht, spitse neus, smalle lippen en grijs haar waar vijf grote krulspelden in zitten, vertelt dat een vrouwelijke toerist haar van de kaart heeft gebracht. Iemand die Sark al jaren bezoekt.

'Jo Ann, wat goed om je te zien! Mijn man zei dat je de winter niet had overleefd!' had de vrouw verbaasd tegen haar gezegd toen ze elkaar waren tegengekomen bij het postkantoor.

Jo Ann had gezegd: 'Zeg maar tegen je man dat ik nog leef. Maar zeg het hem gauw!'

'Ik heb ook geen zin meer in dit weer. En in die toeristen,' mompelt Mary, en ze duwt met haar onderlip een verschoven plakje komkommer op haar bovenlip weer op zijn plek. Haar twee handen liggen in een zeepbadje.

'Waar kom je vandaan, kind?' vraagt Jo Ann.

Terwijl mijn hoofd op de rand van de waskom ligt en lauwwarm water mijn haar lang maakt, vertel ik dat ik op Sark ben omdat mijn oudtante een zwak heeft voor elektrisch onverlichte eilanden.

'Wat ontroerend,' zegt Jo Ann. En Mary zegt dat ze geen oudtante heeft. Ze heeft helemaal geen tantes.

'Natuurlijk heb je wel een tante,' zegt Jo Ann.

'Heb ik niet! Ik had een broer. Maar zoals je je misschien nog herinnert, is hij in november meegesleurd door de zee.'

'Was dat je broer? Ik had kunnen zweren dat je een tante hebt,' zegt Jo Ann peinzend en ze steekt weer een sigaret op.

'George zag er soms uit als een tante. Vooral als hij zich ergerde. Misschien denk je daarom dat hij mijn tante was.'

'Onzin. Ik kan toch zeker wel een vrouw van een man onderscheiden!'

'Weet je het zeker?'

Ik onderbreek het gesprek.

'Kent iemand van jullie Eloïse Fleur?'

Mary draait haar hoofd met zo'n ruk in mijn richting dat alle plakjes komkommer aan de linkerkant van haar gezicht op de grond vallen. Ze zegt: 'Natuurlijk kennen wij Eloïse Fleur!

Jo Ann neemt een diepe trek nicotine en zegt dweperig: 'Ze was de meest elegante verschijning die ik ooit heb ontmoet. Dat lag vermoedelijk aan het feit dat ze deze kapsalon nooit is binnengestapt.'

'Je kunt je vijf haren ook ergens anders laten kammen,' zegt mevrouw Willaby gekrenkt. Ze stelt voor het te proberen op het postkantoor. Dan begint Mary hysterisch te lachen en verdwijnt Jo Ann zonder nog een woord te zeggen. Met de krulspelden nog in het haar.

Mevrouw Willaby veegt zonder commentaar Mary's komkommerschijfjes op, kijkt me radeloos aan en vraagt: 'En wat doen we nu met het stro op jouw hoofd?'

Vastbesloten me niet te laten intimideren, zeg ik: 'Zelf dacht ik aan föhnen.'

'Dat duurt minstens een uur, en bij dit weer blijft het precies twee minuten zitten voor het weer gaat krullen. Ik zou het afknippen. Je hebt zo'n mooi gezichtje ...'

'Ik denk erover na. Maar nu wil ik het graag glad geföhnd alstublieft.'

Mevrouw Willaby kiept een flesje scherp ruikende vloeistof over mijn hoofd en draait acht grote krulspelden in mijn haar. Dan zet ze me onder de droogkap, veegt de kwark uit Mary's gezicht en manicuurt haar nagels.

Nadat Mary weg is en vlak voor mijn haar onder de droogkap begint te walmen, haalt ze de krulspelden uit mijn haar. En terwijl ik steeds meer begin te lijken op Jackie Kennedy, vertelt ze het verhaal van Eloïse Fleur, die op Guernsey woonde en niet kon kiezen tussen echtgenoot en minnaar.

Toen haar echtgenoot ernstig ziek werd, besloot ze haar minnaar te verlaten, die ze tot op dat moment dagelijks had ontmoet op Sark. De minnaar dreigde zelfmoord te plegen en verdween. Hij werd nooit meer gezien. Een tijdje later overleed Eloïses man. Al een paar dagen na de begrafenis zag men Eloïse Fleur weer. Ze wandelde urenlang met Chuck over het eiland, zo dun als een rietje, geheel in het zwart gekleed.

Maar van de ene op de andere dag was ook zij verdwenen. Nu herinnerde alleen Chuck nog aan deze tragische liefde.

'Ze had haar zieke man moeten verlaten, of niet?' vraagt mevrouw Willaby, en ze spuit een hele bus haarspray leeg op mijn hoofd.

'Maar haar man kon toch onmogelijk begrip opbrengen voor de situatie?' vraag ik terug, en ik inspecteer mijn kapsel met een handspiegel van alle kanten.

'Wie kon vermoeden dat die man zo snel zou overlijden?' zegt mevrouw Willaby, en ze schikt nog een plukje haar boven mijn oor.

'Hoe kon Eloïse Fleur vermoeden dat ze beide mannen zou verliezen omdat ze niet kon kiezen? En waar hebben we eigenlijk taal voor?' vraag ik aan mevrouw Willaby. Ik betaal haar tien pond, inclusief fooi.

'Ach, taal. Als mannen en vrouwen meer met elkaar zouden praten, was ik werkloos,' zegt mevrouw Willaby, en ze wenst me nog een fijne dag.

14

'Wist je dat de boshyacint hangende bloemetjes heeft, als een verlegen meisje, terwijl de Spaanse hyacint eruitziet als een fiere flamencodanseres die met haar rokken zwiert?' vraagt Maud als we in de Smugglers Bar aan de thee zitten. Ik geef toe dat ik niet eens weet hoe hyacinten er überhaupt uitzien en vertel over Eloïse Fleur.

'Toen ze verdween was ze maar een jaar ouder dan ik. Is ze dood? Was het een ongeluk? Moord? Zelfmoord? Ik weet niet waarom, maar ik moet de hele tijd aan haar denken.'

'Het klinkt in elk geval ingewikkeld,' zegt Maud. 'Misschien is ze naar een andere plek verhuisd. Of ze heeft haar leefgewoontes veranderd. Medemensen nemen iemand dan heel anders of helemaal niet meer waar. Misschien slaapt ze en gaat ze niet meer wandelen. Wist je eigenlijk dat in 1916 opeens ontzettend veel mensen in Europa en Amerika in slaap vielen en bijna niet meer wakker te krijgen waren? Als je ze iets vroeg konden ze wel zinvol antwoord geven. Ze wisten ook wie en waar ze waren. Maar ze gedroegen zich totaal apathisch en vielen onmiddellijk weer in slaap als je ze met rust liet. Een aantal van hen sliep maandenlang en ging dood. Anderen werden wel weer wakker, maar werden nooit meer zo levendig als ze waren geweest. Ze zaten maar wat voor zich uit te kijken. Destijds ontsliepen binnen tien jaar ongeveer vijf miljoen mensen. De oorzaak was een virus dat net zo plotseling als het de kop had opgestoken, ook weer verdween. Nu slaapt het virus zelf. Maar ooit duikt het ergens weer op.'

'Wat vreemd.'

'Niet zo vreemd als jouw kapsel,' zegt Maud. 'Wat heb je eigenlijk tegen je haar? Ik vind dat het bij je past en ik zal het moment nooit vergeten dat ik jouw rode krullenbol voor het eerst zag. Het was middag. De zon stond hoog aan de hemel. En jij zag eruit of je in brand stond. Je grootvader stond op zijn composthoop en hield een lezing over verrotting. Hij pookte wat rond in de grond. En jij stond er nogal verward bij te kijken. Destijds zwom er een haai door je hoofd. Hij had een vrouw opgegeten. Je hebt urenlang in mijn garage op de achterbank van de oude Mercedes in een fotoboek over zeedieren zitten bladeren. Vooral de blauwe walvis fascineerde je. Met een tong zo groot als een olifant, een hart zo groot als een auto en bloedvaten zo dik dat je erdoorheen zou kunnen zwemmen. Je bewerkte jezelf met een zwarte viltstift om eruit te zien als Queequeg.'

'Ik hield van Moby Dick. En ik haatte kapitein Ahab. Als ik in bed lag fantaseerde ik erover hoe het zou zijn om een blauwe walvis te zijn en schepen als de *Pequod* tot zinken te brengen. Of ik deed of ik Ishmael was, die alle rampen overleefde omdat hij altijd kon vertrouwen op Queequegs doodskist. Ik moet er nu trouwens niet meer aan denken vrijwillig in zo'n ding te gaan liggen.'

'Dat stelt me gerust,' zegt Maud. Ze heeft mijn fascinatie voor houten doodskisten nooit begrepen.

Terwijl we een voortreffelijke kreeftenschuimsoep naar binnen lepelen, vertelt Maud over haar dag met Tally. Enthousiast vertelt ze over bloeiende gaspeldoorns, varens, koekoeksbloemen, blaassilenes en gele margrieten. Ze stelt zich de hevige stormen die Sark 's winters van de buitenwereld afsluiten als romantisch en in het geheel niet onbehaaglijk voor. Ze had nooit gedacht dat ze het leuk zou kunnen vinden naast een man op leeftijd in een modderpoel te liggen om naar vogels te kijken. Maar daar ging het nu juist om in het leven.

'Op een vogel wachten?'

'Nee, van het moment genieten.'

'Heet dat moment toevallig Tally?'

Maud sluit haar ogen, veegt haar mond af met een servet, neemt een slok wijn en zegt met een peinzende blik naar mij: 'Het zou kunnen zijn dat ik een beetje verliefd ben geworden op die rare vogel.'

'Jij? Verliefd?' herhaal ik, en ik slik een hap biefstuk door. 'Je kent Tally pas drie dagen!'

'Drie dagen zijn een eeuwigheid als je op post wacht.'

'En dat vertel je mij? Tom heeft al wekenlang niets van zich laten horen.'

'Probeer niet aan Tom te denken. Niets is voor altijd. We ontmoeten mensen om ze te verlaten. We bezitten dingen om ze te verliezen. En we worden geboren om te sterven.'

'Als ik dat had geweten toen ik nog een met plasma gevuld atoompje was, had ik graag afgezien van het rechtop lopen.'

'Je kunt beter afzien van je zelfmedelijden. Maak het beste van je situatie. Denk aan iets leuks, bijvoorbeeld dat er op dit moment een kudde van een biljoen bacteriën op jouw huid graast. Je verzorgt ze dagelijks met ongeveer tien miljard huidschilfers en daarom houden ze van je. Op hun manier. Je bent hun sprookjesland. En als dank geven ze je lichaamsgeur.'

'Wat attent …'

'Ja toch? Vooral omdat zij miljarden jaren zonder jou konden, maar jij geen enkele dag zonder hen kunt. Sommige vermenigvuldigen zich zo snel dat ze in minder dan tien minuten een nieuwe generatie produceren. Bij voldoende voeding kan een enkele bacteriecel binnen 24 uur 280 miljoen nakomelingen produceren. Een menselijke cel krijgt in hetzelfde tijdsbestek maar één deling voor elkaar.'

Ik schuif mijn bord van me weg, kijk naar de rug van mijn hand, waar momenteel duizenden diertjes worden gevoed, en ben op vreemde wijze ontroerd.

'Ik wil die dingen niet weten, Maud. Het idee dat ik het thuisland ben voor afschuwelijk uitziende wezentjes die niet zouden misstaan in een film van George Lucas, vind ik storend. Ik heb geen trek meer.'

'Sorry, dat was niet de bedoeling. Ik overdrijf af en toe misschien wat.'

'Af en toe? Ik heb de indruk dat je van een andere planeet komt. In jouw wereld kun je alles berekenen. Alles heeft een getal, een afstand, een zin. Op mijn planeet ontdek ik, waar ik ook kijk, steeds dezelfde onberekenbare mechanismes. Een paar maanden geluk … en dan valt alles in twee delen uiteen. Het ene deel wil meer en het andere deel wil weg. Gevolg is dat degene die meer wil degene die weg wil onder druk zet. Vooral omdat degene die weg wil al snel een derde zou kunnen vinden die voor iemand anders op de loop is. Of was. En wat gebeurt er als iemand geen zin meer heeft? Schiet dan vroeg of laat niet elk deel erbij in? En blijft het vanaf dat moment liever op een veilig afstandje om de liefde vanaf die plek te observeren? Zoals jij doet? Of bijna twee decennia lang hebt gedaan, voordat Tally verscheen en sindsdien niets meer is zoals het was? Dat is toch waanzin!'

'Accepteer dat jouw geluk niet automatisch het geluk van iemand anders is. We hebben allemaal rituelen die ons in leven houden, en als je die niet hebt, moet je er dringend naar op zoek. Wist je bijvoorbeeld dat meneer Horn uit het raam gaat hangen als hij het even helemaal gehad heeft?'

'Dat doe ik hier ook. Maar dan om te bellen …'

'Ik schrok me rot toen ik gisteravond voor het slapengaan nog even een ommetje maakte en een lange schaduw op de gevel ontdekte die bij meneer Horn hoorde. Er stond een behoorlijk koele en onbehaaglijke bries om het huis. De wind blies dwars door zijn broek en zijn jasje heen en duwde een paar wolken richting het westen. Toch weerhield dat de man er niet van om aan zijn uitgestrekte arm uit een raam op de tweede verdieping aan de vensterbank te gaan hangen. Toen ik onder hem stond en we elkaar in de ogen keken, vroeg ik bezorgd: "Meneer Horn? Wat doet u daarboven? Wilt u dood?"

"Integendeel. Ik ben niet van plan er een eind aan te maken. Ik geniet van de angst voor de val. Als het bloed in je vingers stolt. En alleen je wil om te overleven nog telt. Het doet wonderen. Er is niets beters tegen gekke gedachten en … o, mijn vrouw."

Meneer Horn zweeg plotseling. Ik kon mevrouw Horn horen roepen op de achtergrond.

"Darling? Darling? Waar zit je toch?"

"Het is net of ze een zendertje heeft dat alarm slaat als ik uit het raam hang!" vloekte meneer Horn zachtjes voor hij zich met een krachtige armbeweging aan de vensterbank optrok en met zijn hoofd eerst naar binnen dook.

"Hier ben ik, darling! Ik heb even een frisse neus gehaald. Is het niet prachtig vanavond?" hoorde ik hem nog zeggen voor het raam dichtging, en terwijl hij de gordijnen met een ruk dichttrok, dacht ik na over zijn ritueel. Ik zag opeens hele hordes uit het raam hangende mannen voor me. Zouden wij vrouwen ooit op zo'n idee komen?'

'Maar wat is dat dan voor ritueel?'

'Dat heb ik hem vandaag gevraagd. Meneer Horn nam me even apart en verzocht me met klem zijn vrouw niets te vertellen over onze nachtelijke ontmoeting. Hij gaf toe dat hij al af en toe uit het raam hangt sinds hij vijfenvijftig is. Volgens hem is het het beste middel tegen de midlifecrisis. "Het gaat om erkenning en om mijn angst voor stilstand te overwinnen. Dat zou ik ook best een tijdje kunnen met een jonge minnares, maar uit het raam hangen is veel goedkoper. En het is veel opwindender," verzekerde hij me, voor hij met master Horny een strandwandeling ging maken. Klinkt redelijk, toch?'

'Vind je? Ik begrijp helemaal niet waarom mannen steeds zo onvoorbereid in die crisis terechtkomen. Als ik een zeiltocht om de wereld ga maken weet ik toch ook dat ik op een bepaald moment langs Kaap Hoorn kom en dat het er daar qua weer en golven nogal wild aan toegaat? Dus pak ik water- en winddichte kleding in en neem ik een vlot mee. En voldoende proviand om moeilijke tijden door te komen. Ik spring toch niet bij de eerste de beste hoge golf overboord om naar land te zwemmen en een nieuwe boot te gaan kopen?'

'Ze rekenen nu eenmaal op mooi weer …'

'Maar er staat toch uitdrukkelijk: in goede en in slechte tijden. Bij mooi en bij slecht weer. Zullen we nog iets drinken?'

'Ik ga naar bed. Het is bewolkt en ik ben hondsmoe, want ik ben al sinds zes uur op de been. En als Tally me morgen komt ophalen om te gaan picknicken, wil ik uitgerust zijn.'

'Picknicken? Hoe laat?'

'Hij haalt ons even voor twaalven op met de koets. Ik heb voor het laatst gepicknickt in Australië, vlak voor ik van Ayers Rock viel. Eens zien wat er deze keer gebeurt.'

Ik loop met Maud mee naar haar kamer en nadat we elkaar welterusten hebben gewenst, blijf ik nog even voor haar deur staan. Ik hoor haar dribbelpasjes en wil het veilige gevoel dat alleen die deur (die ik te allen tijde open kan doen) me scheidt van de belangrijkste mens in mijn leven, zo verinnerlijken dat niets ter wereld dat gevoel kan verdringen.

Maud was er niet alleen altijd voor me als ik haar nodig had. Ze was altijd en overal bij me, ruimte en tijd overschrijdend. Ik voel een diepe verbondenheid met haar, een oervertrouwen dat zoveel meer voor me betekent dan de vriendschappelijke band met mijn ouders, die in hun grote huis vol muziek en boeiende gesprekken in mijn herinnering altijd door marihuana bedwelmde bloemenkinderen zullen blijven. Ik maakte deel uit van hun ideologie en hoorde bij hun dromen over verre landen, hun verlangen naar een andere wereld. Net als mannen in zijden broeken en vrouwen in lange jurken. Wierookstaafjes. Vrije liefde. De ware liefde vond ik bij Maud. Zij nam me mee. Of ik wilde of niet. En ik hoefde nooit te kiezen.

Even later zit ik aan de bar. Hij is verlaten, op een paartje na dat hand in hand bij de haard op de bank zit te smoezen. Cerryth trakteert op een Whisky sour. Hij vertelt dat hij en Nora uit elkaar zijn, hoewel ze eigenlijk nog helemaal geen paar waren. Hij is tot de conclusie gekomen dat ze niet goed voor hem is. Vooral omdat ze met Paul, de kok, naar bed is geweest. En omdat hij zijn heterogene buik er helemaal vol van heeft, overweegt hij homogeen te worden. Hij denkt er serieus over verliefd te worden op Percy, de homoseksuele tuinman. Of op master Horny.

Ik probeer Cerryth het verschil uit te leggen tussen homoseksueel, homogeen en hetero, en om hem op te monteren vertel ik hem over de op ons lichaam grazende krabbeldiertjes die ons in ruil en als dank lichaamsgeur geven.

Cerryth weet meteen waar ik het over heb. Hij heeft ooit een sterk vergrote foto van zo'n beestje gezien en vond het niet eens zo lelijk. In elk geval is zijn oom Jim, de broer van zijn vader, veel lelijker. Bovendien zou hij liever met een miljoen piepkleine krabbeldiertjes in bed liggen dan met Nora.

Ik draai met de duim van mijn linkerhand aan mijn trouwring. Dat doe ik altijd automatisch als ik nadenk. Ik denk aan mijn bruiloft. Die duurde drie dagen en begon in München, op het stadhuis aan de Mandelstraße in het stadsdeel Schwabing. Daarna werden we in het boskerkje St. Peter en Paul op Nikolskoe in de echt verbonden en ten slotte was er een groot feest in Kladow, waar een tent uit Duizend-en-een-nacht in de tuin was opgezet om alle gasten te kunnen ontvangen.

Op een gegeven moment vielen mijn ouders in het meer, gevolgd door wat gasten, en ik ergerde me aan mijn pijnlijke ouders, die ook op mijn bewust 'brave bruiloft' moesten laten zien hoe onaangepast en rebels ze wel niet waren.

Ik peinsde er niet over te water te gaan. Aan de ene

kant kon zich onder het zwarte wateroppervlak van alles verbergen, of het nu een haai was of een snoekbaars. En aan de andere kant was de donkere, ondoorzichtige onderwaterwereld geen geschikte plek voor een bruid in een witte jurk.

Terwijl om me heen een wild in-het-water-gooien begon en binnen de kortste keren praktisch iedere gast minstens één keer in het meer terecht was gekomen, keek ik vanuit de tent met Maud, Amalie en Frieda naar het hysterische gedoe.

Frieda, Toms overgrootmoeder uit Lüneburg, droeg haar lange vlecht artistiek om haar hoofd gewrongen als een nestje van engelenhaar. Haar lichaam stond ondanks haar hoge leeftijd zo strak als een boog. Het leek wel of ze elk moment kon knappen. Sinds ze op haar eenentwintigste van de strenge hand van haar vader in de nog strengere van haar echtgenoot was overgedaan, stond ze onder hoogspanning. Te allen tijde lieflijk, goeiig, bescheiden en in staat zich aan te passen, want het instituut 'huwelijk' mocht in geen geval mislukken. Zwijgen was het geheim van het succes.

Omdat ze jarenlang had afgezien van een eigen stem raakte ze zo onder druk dat haar huid begon te schilferen. Als bij een slang. En omdat Frieda zich daarvoor schaamde, werden haar jurken nog langer en de mouwen nog krapper.

Ze werd voor een kuur naar de Ligurische kust gestuurd, waar ze elke dag een uur in de zon lag aan het strand. Daar lukte het uiteindelijk een badhokjesopzichter de verlegen schoonheid met het lange blonde haar te overtuigen. Volledig week geworden van het vele *amore* en *o sole mio* vergat tante Frieda haar zwijgen. De affaire duurde slechts een zomer, maar Frieda kletste je sindsdien de oren van het hoofd.

Toen ik haar na de huwelijksinzegening voor het kerkje op Nikolskoe begroette, greep ze naar mijn hand.

Ze trok aan mijn trouwring en fluisterde: 'Waarom ben je getrouwd?'

Ik keek in haar vragende ogen en was sprakeloos.

15

Met Henk komt de zon. En hoewel de wind nog steeds krachtig vanuit het westen blaast en er onstuimige golven breken op de kaaimuur, legt de veerboot van Guernsey keurig op tijd aan.

'Ik heb alles gelezen over dit eiland en vraag me af waarom je uitgerekend hiernaartoe bent gegaan. Sark is een plek voor geliefden, niet voor verlatenen. Hier is niets en niemand met wie het slechter gaat dan met jou, Martha. Geen ziekenhuis, geen bejaardentehuis, geen kindertehuis, nog niet eens een dierenasiel! In jouw situatie moet je plekken vermijden waar mensen gelukkig zijn. Je zit in een crisis. Dus ga je naar een crisisgebied!' Dit is Henks begroeting.

'Waar ik me bevind is het automatisch, onmiddellijk, een crisisgebied,' antwoord ik laconiek. Om van onderwerp te veranderen vraag ik hoe de reis was en of Henk al heeft ontbeten.

'Wanneer had dat gekund? We zijn gisteravond op Guernsey geland en de veerboot vertrok vanochtend om zeven uur. Behalve een paar koekjes heb ik niets op.'

'Tegen zeeziekte.'

'Nee, tegen de verveling. Ik vind grote wateroppervlaktes nogal eentonig.'

'Interessant, hoor,' smaalt Honky Tonk. Hij zit in de kleinste van de drie koffers die Henk bij zich heeft. 'Ik

130

vind je onderbroeken ook nogal eentonig. Laat me eruit!'"

Een paar minuten later kijk ik sprakeloos naar een
verfomfaaid maar onberispelijk zittend driedelig tweed-
pak met bijpassende pet en daaronder een perfect gestreken overhemd met in de open kraag een artistiek
geknoopte zijden sjaal.

'Heb ik iets van je aan of zo?' vraagt Honky Tonk. 'Heb
je nog nooit een dandy gezien?'

'Hallo, Honky Tonk. Ik dacht dat je niet van eilanden
hield waar het twee voor twaalf is …'

'Tijd speelt geen rol voor dandy's. De tijd gaat spoor-
loos aan ons voorbij. Wat je van jou niet kunt …'

'Honky Tonk! Ik bedoel, Henk! Pak Honky Tonk onmiddellijk weer in!'

'Oké, oké, oké. Sorry. Maar jij begon! Is dat een paard-
en-wagen?'

Henk blijft op een veilig afstandje van Eternity staan
en Honky Tonk vraagt wantrouwig: 'Gaan we met dat
ding?'

'Dat ding is een paard. Het brengt ons naar het hotel.
Kun je alsjeblieft gewoon instappen en je gedragen als
een normaal mens?'

'Bedoel je mij?' vraagt Honky Tonk verbijsterd.

'Jou ook. We hebben een beetje haast. Over een uurtje
worden we opgehaald voor een picknick.'

'O! Dandy's zijn gek op picknicken! Wat zal ik aan-
doen?'

'Ik heb een pak per dag voor je ingepakt. Dat zijn er
drie te veel,' bromt Henk terwijl hij slechtgehumeurd in
de koets klautert.

Nadat we een tijdje zwijgend naar het langstrekkende
landschap hebben zitten staren en Henk geen aanstalten

maakt om iets te vertellen over Berlijn, houd ik het niet meer uit.

'Nog iets van Tom gehoord?'

'Voor zover ik weet wil hij deze week nog naar Gretna Green.'

'Wat is dat?'

'Dat is een plaatsje in Schotland waar je meteen kunt trouwen. Op weg naar Gretna Green reist hij via Sark, zodat je de scheidingspapieren kunt ondertekenen.'

'Sorry? Maar je schreef dat hij zijn gele zwembroek terug wilde hebben.'

'Dat wil hij ook. Maar dat betekent niet dat hij jou ook terug wil hebben. Ik heb gisteren van onze gezamenlijke kapper gehoord dat Tom wil scheiden en zo snel moge-lijk wil trouwen met zijn verloofde.'

'Verloofde?'

Henk buigt naar me toe en fluistert: 'Rustig blijven, Martha. Ik wilde je dit niet via de telefoon vertellen, maar als Tom hier aankomt heeft hij een contract op zak dat ik als ik jou was niet klakkeloos zou ondertekenen.'

'En dat weet je allemaal van je kapper? Doet die ook in echtscheidingen soms?'

'Nee, maar als je iemands haar wast is dat op een be-paalde manier best intiem.'

'Toen ik, op een bepaalde manier, twee maanden gele-den voor het laatst van Tom hoorde, vroeg hij me in een kort en bondig geformuleerde mail om begrip. Hij had nog tijd nodig. En hij zou zich weer melden. Schreef hij. Ik was zo dom om te geloven dat hij nog tot inkeer zou komen als ik hem maar genoeg tijd zou geven. Om over ons na te denken. Weet je zeker dat we het over dezelfde Tom hebben?'

'Ja. Tom Heinz, architect, tweeënveertig jaar.'

'Dus Tom wil scheiden …'

'Ja. Hij moet wel.'

'Hij moet wel?'

'Ja. Hij heeft geen geld.'

'Pardon? Natuurlijk heeft hij geld …'

'Nou, Pierre …'

'Je kapper?'

'Ja … Pierre dus zegt dat Tom geen geld heeft. Al het geld zit in het bedrijf. Behalve jullie appartement. Daarom wil hij dat ook houden.'

'Aha. En wat moet ik dan?'

'UWV,' meesmuilt Honky Tonk.

Ik speel even met de gedachte hem de koets uit te gooien.

'Niet op letten,' zegt Henk sussend, en hij draait Honky Tonks hoofd zo dat hij naar zee moet kijken. 'Sinds hij over een garderobe beschikt die de grote Gatsby jaloers zou maken, is hij onuitstaanbaar.'

'Henk, hoe kan Tom zo snel weer verliefd zijn en willen trouwen?'

'Ik heb gehoord dat zijn verloofde het enig kind is van een grote aannemer. Een heel, heel grote aannemer.'

'Komt zij ook bij jouw kapper?'

'Natuurlijk niet! Pierre heeft verteld dat alleen Louis in Parijs aan haar hoofd mag komen.'

'Je gaat me toch niet vertellen dat een vrouw die naar een kapper in Parijs vliegt wil gaan wonen in een oud Berlijns appartement op driehoog zonder lift?'

'Wil ze ook niet. Pierre zegt dat Tom het appartement wil verkopen om een verlovingsring en een trouwring te kunnen kopen. Ze gaan wonen in een huis in Berlijn-Grunewald. Een huwelijkscadeautje … En verder in Marbella, Monte Carlo en …'

'Hou op, alsjeblieft!'

Honky Tonk draait zich naar mij om en zegt: 'Heb je een probleem met rijkdom?'

'Ik heb geen probleem met rijkdom. Maar ik doe toch geen afstand van mijn woning om het mijn man mogelijk te maken een ring te kopen voor zijn nieuwe vrouw?'

'Probeer het karmisch te zien. Zo'n kans krijg je niet weer in het leven.' Honky Tonk appelleert aan het goede in mij en terwijl hij iets brabbelt over verlichting, slaat Eternity af, de laan naar Horn's End op. Door een waas van tranen herken ik Maud. Ze staat voor het hotel met meneer Horn te praten.

'Het spijt me, Martha. Je hebt dit niet verdiend,' zegt Henk. Met een wijsvinger veegt hij een traan van mijn wang. 'Maar hier moet je doorheen.'

'Waarom krijgt de een alles en de ander niets? Minder dan niets?' Lusteloos zwaai ik terug naar Maud.

'Je hebt mij toch?' zegt Honky Tonk.

'Dat bedoel ik met minder dan niets,' antwoord ik, en ik veeg met de mouw van mijn trui over mijn gezicht voor ik Mauds vrolijke 'cock-a-doodle-doo' beantwoord met een bedeesd: 'Kukeleku.'

Meneer Horn begroet Henk overdreven, geeft Honky Tonk met tegenzin een hand en begeleidt ons naar de receptie.

Als we even later achter Cerryth aan naar Henks kamer lopen, fluistert Henk op een onbewaakt ogenblik: 'Vind je niet dat Cerryth een beetje te lang en te dromerig in je ogen keek?' Waarna ik me afvraag of ik sinds gisteravond een alternatief ben voor Percy of master Horny. Hoewel, of misschien wel juist omdát we het over krabbeldiertjes hebben gehad.

Henks kamer bevindt zich op de bovenste verdieping

en biedt een adembenemend uitzicht over het eiland tot aan de horizon, die tussen hemel en aarde een licht gebogen lijn vormt. Honky Tonk kan niet kiezen welke kant van het bed en de kleerkast hij wil. Henk en hij verdwijnen uiteindelijk discussiërend de badkamer in. Ik staar naar de blauwe zee en denk aan mijn laatste bezoek aan Kladow, twee jaar geleden in het voorjaar, toen opa stierf. Een paar dagen voor de kerst was hij verkouden geworden, omdat hij ondanks de ijzige kou urenlang op het dichtgevroren meer had doorgebracht. Met een hengelsnoer in een gat in het ijs. Hij wilde net als elk jaar een snoekbaars vangen voor Kerstmis. De volgende dag klaagde hij over rugpijn en kreeg hij hoge koorts. Toch wilde hij per se op kerstavond zijn door de motten aangevreten Kerstmannenpak aantrekken om de cadeautjes uit te delen.

Normaal brachten mijn ouders de wintermaanden door bij mijn broer in Monterrey. Hij was getrouwd, had twee kinderen, twee dwergkonijnen, twee milieuvriendelijke hybride auto's en een statig huis met tuin in een goede buurt. Hij was er op de een of andere manier in geslaagd de antiautoritaire opvoeding van mijn ouders zonder kleerscheuren te doorstaan en mocht als dank daarvoor economie studeren aan de peperdure particuliere universiteit 'Tec' (Instituto Tecnológico y de Estudios Superiores de Monterrey).

En omdat de duivel altijd op de grootste hoop schijt, werd hij geheel toevallig verliefd op de dochter van de grootste Mexicaanse bierbrouwer. Sindsdien zorgt hij in een land waar de biersoorten Bohemia, Sol of Noche Buena heten voor een geweldige omzet, omdat hij zonder scrupules het goede oude Beierse Radler heeft vermexicaanst en van Ir en Bici, want zo heet het daar, het meest verkochte bier van Mexico maakte. Mijn broer, de geluksvogel en Mexicaanse alcoholheld, ontbrak dus met zijn gezin. Maar mijn ouders, mijn oma, Maud en ik verheugden ons op mijn opa en zijn watten baard, die net als elk jaar binnen tien minuten zou beginnen te pluizen en niet meer dan een wit spoor op zijn gezicht zou achterlaten. We verheugden ons zelfs op de volledig verminkte versie van *Oh, du fröhliche*, die mijn moeder en Maud hadden ingestudeerd op hun didgeridoos.

Toen overal uitgepakte cadeautjes rondslingerden, aten we vissoep. En gebakken snoekbaars met boontjes. En we dronken op het succes van mijn vader. Een paar dagen eerder had hij in een Berlijns warenhuis uit zijn nieuwste boek voorgelezen. *De beste grappen over de Kerstman* stond op de bestsellerlijst. Mijn vader was al bezig met een volgend boek en ging ervan uit dat *De beste grappen over de paashaas* uiterlijk met Pasen een doorslaand succes zou zijn. Hij had als onderzoeker van de lach en als wandelend moppenboek een internationale reputatie opgebouwd en sprak inmiddels niet alleen meer voor studenten, maar ook voor televisiepubliek in talkshows.

Evenredig met het stijgen van de beroemdheid van mijn vader steeg de verbetenheid van mijn moeder in haar strijd tegen depressie. Ze klaagde over het leven aan de zijde van een succesvolle man en verlangde terug naar de tijd toen er nog een peaceteken ter grootte van een lp om haar nek bungelde. Zij, die in San Francisco het hippietijdperk op 6 oktober 1967 in een open doodskist vol bloemen ten grave had gedragen en op de eerste rij had gestaan toen de kist in vlammen was opgegaan. Zij, die altijd een hekel had gehad aan dubbele bodems. Zij, die altijd multidimensionale visies had gehad. Uitgerekend zij was de vrouw van een schertsfiguur geworden, een verrader die er niet voor terugschrok een moppenboek over psychiaters te schrijven.

Haar argumentatie ging direct van de nucleaire paddenstoel op de cover van de lp van Jefferson Airplane – die waarschuwde voor ontwrichting en de daaruit resulterende eenzaamheid – over op de conclusie dat elk sociaal-creatieve model vanwege zijn aantrekkingskracht gedoemd is te mislukken. Daarom verafschuwde mijn moeder de lange lijst van nog op stapel staande moppenboeken net zozeer als de ruitjeshemden die mijn vader inmiddels droeg. Al die gedanste *acid tests* bij blacklight en stroboscooplichtflitsen. Al die lsd die ze had geslikt om haar bewustzijn te verruimen. Om nog maar te zwijgen van de oerschreeuw die ze persoonlijk een aantal keer had meegemaakt. Dat kon toch niet allemaal voor niets zijn geweest?

Mijn moeder dacht er weliswaar niet over om te gaan scheiden, maar wel om een jaar een ashram in te gaan. Ze droeg tenslotte nog steeds paisley.

Oudejaarsnacht werd opa's rugpijn zo erg dat hij zijn weerstand om naar het ziekenhuis te gaan opgaf. Op de Eerste hulp diagnosticeerde een jonge coassistent met een kleurige serpentine om zijn nek acute nierinsufficientie. We dachten dat het een grap was.

'We kunnen niets meer voor hem doen,' zei een mooi wintersportbruine specialist vol goede nieuwjaarswensen, waartoe kennelijk ook het uitspreken van de waarheid behoorde, een paar dagen later.

Het afdelingshoofd beweerde echter: 'Die blijft voorlopig hier. Dat komt wel weer voor de bakker.'

Opa was diep ongelukkig. Zo'n twijfelachtige dood vond hij maar niets. Hij wilde een ondubbelzinniger einde. In zijn geliefde tuin. In de frisse lucht. Met zicht op het meer.

Dus nam oma haar Gustaaf medio februari weer mee naar huis. Ze vroeg ons om begin juli naar Kladow te komen om afscheid te nemen van opa.

'Wat ben je groot geworden,' mompelde ze afwezig toen ze me op de trap voor het huis ontving. Zoals ze de afgelopen jaren zo vaak had gedaan. Maar in tegenstelling tot vroeger waren de rolluiken niet dicht en stonden de deuren en ramen wijd open, zodat opa de wind kon voelen als hij met zijn ogen dicht naar het klapperen van de zeilen lag te luisteren.

Vanuit de kleine baai waar ik Tom voor het eerst had ontmoet drong zacht gelach het huis binnen dat onafhankelijk van tijd en ruimte overal boven leek te zweven, en ik verlangde terug naar de verloren tijd, naar zorgeloze, decadente dagen vol overmoed.

Aan opa's bed was ik opeens niet bang meer. Boven ons reflecteerde het zonlicht de golfjes van het meer die zich oplosten aan de kaaimuur en een weefsel van licht en schaduw op het plafond projecteerden. Maud, die aan de andere kant van het bed in een dicht naar het bed toe getrokken oorfauteuil zat, hield opa's krachteloze hand vast die onder een veel te groot geworden pyjamamouw tevoorschijn kwam. Ze las hardop voor uit de *Berliner Zeitung*, en het duurde een hele tijd voor ik doorhad dat ze nieuwsberichten verzon om opa het gevoel te geven dat hij overleed in een goede tijd.

Hij was zo mager dat onder de donzen deken nauwelijks nog een contour waarneembaar was en merkte me pas op toen ik hem een kusje op zijn wang gaf.

Hij deed langzaam zijn ogen open en fluisterde: 'Binnenkort woel ik ook door de grond. Jammer dat Amalie

138

liever in vlammen opgaat dan bij de mieren te komen liggen. Ze droomt van engelen en mooie jurken. En van een wit licht. Tja, dat past wel beter bij haar slippers.'

Amalie gaf opa een voorzichtig kusje op zijn voorhoofd, liep stijf – klik-klak-klik-klak – om het bed heen en veegde bibberig met een vochtige doek over zijn ingevallen gezicht nadat ze hem via een rietje een slokje thee had gevoerd. Hoewel opa's uitgedroogde lippen wijd openstonden kon hij nauwelijks ademhalen. Zijn laatste tand, die immens verloren deed denken aan de afgebroken slagtand van een oude olifant, maande even pijnlijk als het beetje lucht dat opa's longen nog bereikte, dat het tijd was om te gaan. Toch lag hij daar maar. Hulpeloos. Met een lichaam dat al grotendeels verstek liet gaan. En een geest die nog steeds aan dat lichaam vastzat.

Ik zou er alles voor over hebben gehad om zijn levenstijd te verlengen, omdat hij zo onafscheidelijk met de mijne verbonden was. Zelfs ondanks het besef dat de martelende seconden, minuten en uren opa's pijn verlengden.

Ik aaide hem zachtjes over zijn wang.

'Weet je nog toen mijn eerste melktand eruit was?' vroeg ik om de kostbare tijd te vullen. 'Toen ik je mijn melktand liet zien en heel erg bezorgd was dat uitgerekend ik geen grotemensentanden zou krijgen? Jij deed de tand in een bloempotje, strooide er potgrond overheen en gaf hem elke dag water. Toen er een tijdje later een nieuwe tand in mijn mond kwam, vond ik het een wonder.'

'Dat was geen slecht wonder, hè?' fluisterde opa. 'In elk geval beter dan dat bezopen wonder van je kinderlijke vader. Een teckel laten verdwijnen … Hoe komt iemand op zo'n stom wonder …'

Opa stierf de volgende ochtend om drie uur, omringd door familie, zoals hij had gewild. Alleen Tom ontbrak. Hij was in Brussel om de opdracht voor de nieuwbouw van een vakantiehotel binnen te slepen. Het telegram met oma's verzoek s.v.p. zo snel mogelijk naar Berlijn te komen had Tom beantwoord met: *Kom morgen. Verheug me erop die ouwe Gustaaf in vorm te zien.*

Maar de ouwe Gustaaf overleed zonder rekening te houden met Toms agenda.

'Ik ben te moe voor een picknick, denk ik. Weet je een leuk restaurantje waar we vanavond kunnen gaan eten?' vraagt Henk vanuit de badkamer.

'Te laat,' zeg ik, met mijn gedachten nog steeds bij opa. In het raam zie ik dat Henk achter me staat, in een handdoek gehuld en met een straightener in zijn hand. Hij heeft ondertussen zijn koffer uitgepakt en gedoucht. Honky Tonk ligt in een zijden pyjama en ochtendjas op het bed.

'Laten we rond een uur of acht in de Smugglers Bar afspreken,' stel ik voor en ik pak de straightener aan. Dan geef ik Henk een kus op zijn wang en draai me met de deurklink al in de hand nog een keertje om. 'Ben jij bang voor spoken?'

'Sorry?' Henk houdt zijn handdoek vast.

'Ik weet niet meer wat ik nog moet geloven. Dat wat ik zie? Dat wat ik hoor? Dat wat ik voel? Het zijn allemaal spoken.'

'Nou, als ik Luna volgende week zie in Moskou, dan weet ik dat ze geen spook is. Spoken wonen in je gedachten.'

'En wat bedoel je als je het over de waarheid hebt?'

'Mijn waarheid is alles wat kostbaar en me dierbaar is en wat ik bescherm.'

'En zou je altijd de waarheid zeggen om te beschermen wat je dierbaar en kostbaar is?'

'De waarheid heeft vele gezichten. Wie van ons weet wat er echt gaande is op de wereld, of in ons innerlijk, of in het universum? Dus … wat vroeg je ook alweer?'

'Ik vroeg wat je bedoelt als je het over de waarheid hebt. En ik heb het zo begrepen dat jij op het moment van de waarheid zou kiezen voor een leugen als je daarmee de dingen waar je van houdt kunt beschermen.'

'Klinkt logisch, of niet?'

Ik zwijg even en zeg dan: 'Maar dan is toch automatisch je hele leven een leugen?'

'Gefeliciteerd. Eindelijk hebben jullie het door,' zegt Honky Tonk smalend.

Henk zegt dat ik niet zo moet malen, omdat ik over een paar maanden over de rouwfase heen ben en ik mijn leven dan vanuit een volkomen ander perspectief zal zien. Want als de ene deur sluit, gaat er een andere open. Na elk einde volgt een begin.

'Ja ja. Ik weet het. En ik ontmoet mensen om ze te verlaten en ik bezit dingen om ze te verliezen en ik word geboren om dood te gaan. Ik kan het niet meer horen. Wat heeft dit voor zin? Waarom die evolutiebiologische toestand? Dit gedoe kan ik toch ook met het verwachtingspatroon van een amoebe aan?'

Nadat ik de deur met een klap heb dichtgetrokken, bots ik bijna op een stapel handdoeken.

'Sorry, madame.'

Ik herken Nora's stem achter de frisgewassen toren badstof, en omdat ik zo lekker op dreef ben, zeg ik: 'Weet je eigenlijk dat Cerryth verliefd op je is?'

'Cerryth?'

Nora blijft zo abrupt staan dat haar badstof toren overhelt en een paar handdoeken op de grond vallen.

'Ja, Cerryth,' zeg ik glimlachend. Ik raap de handdoeken op en leg ze terug op de stapel. Dan verdwijn ik mijn kamer in om me om te kleden voor de picknick.

Waarom die tijdverspilling? Waarom al die leugens en dat gekonkel? Toen ik voor het eerst het gevoel uitsprak dat er iets niet klopte met mijn huwelijk, keek Tom me aan of ik aan hallucinaties leed. Hij zei dat ik het me inbeeldde. En toen ik weken later na een uitbundig feestje opmerkte dat hij wel erg intensief had zitten praten met een bepaalde vrouw, beweerde hij dat het absoluut zijn type niet was geweest en bovendien erg saai. En toen ik een week voor we uit elkaar gingen om drie uur 's ochtends wilde weten waar hij zo lang was geweest, viel hij me aan omdat ik hem niet vertrouwde. Waarom gaf hij niet gewoon toe dat ik het me niet inbeeldde? Waarom zei hij niet dat er bij hem inderdaad iets was veranderd, dat we onze gevoelens weer op orde moesten brengen?

Tom zweeg. En hij wachtte. Tot er niets meer over was van onze liefde. Om vervolgens vast te stellen dat het te laat was. Niet vechten voor het wezenlijke. Geen liefdevolle correcties. Geen op elkaar ingaan, zoals het in het begin van onze liefde vanzelfsprekend was geweest. Hij voerde liever urenlange personeelsgesprekken en zette voor een hogere motivatie op het werk een duurbetaalde personal trainer in. En hij plande weekendseminars en uitjes ter verbetering van de teamgeest. Hij was er dag en nacht voor zijn personeel.

Als ik hem vroeg een beetje meer tijd met mij door te brengen, reageerde hij geïrriteerd. Dan vond hij dat ik geen begrip toonde voor zijn situatie. Hij voelde zich onder druk gezet en verkortte vervolgens onze vakantie samen, die sowieso al niet meer ontspannend was, omdat ze werd begeleid door honderden mailtjes.

Waar komt die vanzelfsprekendheid vandaan om te denken dat een succesvol beroepsleven zonder tijd, eerlijkheid, aandacht, nauwkeurigheid, ambitie en passie zo goed als onmogelijk is? Terwijl een huwelijk na de eerste veroveringsfase moet afzien van tijd, eerlijkheid, aandacht, nauwkeurigheid, ambitie en passie? Waarom verwachtte Tom dat onze relatie wel gewoon zo door kon lopen, zonder dat hij er iets voor hoefde te doen? En waarom dacht hij dat motivatie in een familie, al is die nog zo klein, niet nodig is?

'Omdat jij verantwoordelijk bent voor deze familie,' zei hij.

'Dan gelden ook mijn regels,' zei ik.

'En hoe luiden die?'

'Communicatie,' stelde ik voor. Maar ik kreeg geen antwoord. Tom was net bezig een dringend mailtje te beantwoorden.

Dr. Bautzner had tijdens de vlucht naar Guernsey gezegd dat hij op basis van casestudy's met betrekking tot de tijdsstructuur van succesvolle managers had ontdekt dat ze gemiddeld 90 procent van hun werktijd doorbrengen met communicatie. Daarvan wordt bijna 70 procent ingevuld door persoonlijke gesprekken. De rest gaat op aan telefoon, mails, correspondentie, faxen.

'Maken de dagelijkse telefoontjes met de echtgenote deel uit van de rest?' vroeg ik.

'Vermoedelijk,' antwoordde Bautzner. 'Het toont duidelijk aan welke positie de sociale component in de zakelijke communicatie van leidinggevenden inneemt.'

'Het toont ook duidelijk aan welke positie de sociale component in de communicatie van echtgenoten en vaders inneemt,' zei ik.

Daarna wilde Bautzner weten wat voor werk Tom deed.

Toen ik hem vertelde over het grote architectuurkantoor keek hij me aan alsof ik een verdwaald zeehondje was en zei: 'Iedere topmanager is automatisch ook architect van intermenselijke contacten. Toch overschrijdt hij ondanks het gemiddeld hoge niveau van vierennegentig werk-, respectievelijk communicatieactiviteiten bijna nooit een activiteitsduur van zes minuten.'

Op dat moment werd me duidelijk waarom mijn huwelijk in puin lag. Ik, de puinruimster, had mijn man 's avonds, als hij moe en afgepeigerd naar huis kwam, gedwongen meer dan zes minuten aan één stuk met mij te praten. Ik had te veel vragen gesteld, in plaats van eten voor hem op tafel te zetten. Ik had zijn zwijgen verkeerd uitgelegd. Ik had niet genoeg begrip opgebracht voor zijn BlackBerry. En ik had zijn onvermoeibare inzet op het werk niet voldoende gehonoreerd. Wat stom van me dat ik dacht dat hij onderscheid kon maken tussen werk en privé en dat hij zijn energie hiertussen eerlijk had willen verdelen.

16

Even later zit ik met Maud in een koets naast een enorme picknickmand. Ik luister naar James, die naast Tally op de bok zit. Net als bijna iedere bewoner van het eiland heeft hij meerdere baantjes. Hij is barkeeper, tuinman en gids. En hij hoort bij de gezworen gemeenschap rasechte Sarkezen die, hoewel resulterend onder de Britse kroon, zo goed als nooit gebruikmaken van het parlement, de wetten en de politie, omdat zoiets als criminaliteit, belastingen, sociale bijstand en scheidingen niet bestaat hier.

Tally en James spreken Sarkees met elkaar. Dat wordt alleen nog gesproken door de oudere bevolking en wordt met uitsterven bedreigd. Terwijl Maud met gesloten ogen de klank van deze oeroude taal in zich opneemt, vervloek ik Tom. Hij is verantwoordelijk voor mijn ongeluk en ík moet weer helemaal van voren af aan beginnen.

Na een tijdje opent Maud haar ogen. Met doordringende blik wil ze weten waarom ik zo zwijgzaam ben en als een verstoord aardmannetje naar de gegroefde, steile kust kijk.

'Omdat Tom me voor de gek heeft gehouden.'

Maud vindt dat Tom mij net zomin voor de gek heeft gehouden als de korte, heftige golven in het Kanaal, als ze hun waterfonteinen door de rotsspleten naar de kust drijven om ongemerkt versteende hersenschimmen en spookachtige wezens te scheppen die mijn fantasie voor de gek houden. Ik kijk naar de kleine en grote rotsspoken die je overal langs de kust kunt zien, levendig op afstand en dood gesteente van dichtbij.

'Je kunt het Kanaal toch niet met mijn huwelijk vergelijken?'

'Waarom niet? Ook watermoleculen gaan een sterke verbinding aan. Maar ze zijn niet erg trouw, want ze wisselen per seconde meerdere miljarden keren van partner. Hierdoor kunnen ze wel prachtige plassen en meren vormen, en ze tonen in slechte tijden een wezenlijk grotere vastbeslotenheid bij hun partner te blijven dan wij mensen dat doen. Ook als jij dat in je serotoninegereduceerde toestand nu even niet wilt horen, wil ik je er even aan herinneren dat een leven zonder liefde dan wel troosteloos, maar een leven zonder water levenloos zou zijn.'

'Water is er hier genoeg,' zeg ik en ik tuur over het water.

'Als ik me goed herinner 1,33 miljard kubieke kilometer, en omdat het een gesloten systeem is, kan er niets bij komen. Of af gaan. Het water dat we nu drinken is miljarden jaren oud. Als je dat vergelijkt met ons, spelen we geen essentiële rol. Zeewater is voor ons zelfs dodelijk, omdat het ongeveer zeventig keer zoveel zout bevat als onze stofwisseling kan verwerken.'

'Maar ik huil toch zoute tranen ...'

'Toch zou je het zoute water niet kunnen drinken. Je watermoleculen zouden het zoutoverschot onmiddellijk verdunnen en afvoeren. Daarbij zou je organisme gevaarlijk veel vocht verliezen. Je nieren zouden het begeven. Je lippen zouden degenereren. Je neus zou krimpen en je gezichtshuid zou zich zo spannen dat je je ogen niet meer dicht kunt doen, waardoor ze zouden uitdrogen.'

'Nou, dat is dan ongeveer zoals ik me momenteel voel,' zeg ik meesmuilend. Ik pak Mauds hand en buig zo dicht naar haar toe dat onze neuzen elkaar bijna raken. Dan zeg ik: 'Ik heb genoeg zout water gehuild en ik heb genoeg gejammerd met een blik op het zoute water. Het leven is te kort om het te verzouten, of niet?'

Maud geeft me een neuskus, haalt een reep van mijn lievelingschocola uit haar jaszak en vraagt: 'Zin in iets zoets?'

Bij een kruising die linksaf naar een langgerekte en S-vormige baai en rechtsaf over een veldje leidt, spant James het paard uit. En na ongeveer honderd meter komen we bij de door rotsen ingelijste Dixcart Bay.

We leggen onze picknickplaid neer in de luwte van een uitholling in de rotsen. Er komen borden, glazen, servetten, bestek en een fles wijn tevoorschijn. En brood, boter, ham, kaas en fruit. Onder het eten somt Tally de vele grotten in de omgeving op. Vooral de zestig meter diepe Creux du Derrible aan de naburige Derrible Bay vindt hij erg bijzonder.

Als ik die naam hoor, ben ik plotseling bang dat ik Madame Charlottes onleesbare handschrift verkeerd heb geïnterpreteerd. Dat ik Dixcart in plaats van Derrible heb gelezen.

Alsof Maud mijn gedachten kan lezen, zegt ze: 'Het woord "planeet" bevat het Griekse woord voor ronddwalen.'

'Hoe kom je daarbij?' vraag ik geïrriteerd.

'Madame Charlotte vertelde vanochtend dat ze met je had afgesproken, maar dat jij de afgesproken plek niet kon vinden.'

'In plaats daarvan heb ik een kapsalon gevonden.'

'Wat heeft het een met het ander te maken?'

'Mevrouw Willaby kon mijn toekomst niet voorspellen, maar ze kon wel iets vertellen over het verleden van Eloïse Fleur.'

'Dat verbaast me,' mompelt Tally. Hij breekt een stokbrood in stukken, verdeelt olijven en zet een schaaltje gekookte eieren midden op de plaid. 'Ik geloof niet dat iemand op dit eiland Eloïse Fleur kende. Ik ben haar een keer toevallig tegengekomen toen haar man net was overleden. Het was op een winderige novemberdag. Ik lag in de buurt van Platrue Bay onder een struik om een veldleeuwerik te observeren. Ze struikelde bijna over mijn benen. Ik herinner me haar diepe stem nog goed. Ik verontschuldigde me en kroop zo snel ik kon onder het bosje vandaan. Ik zei: "U hoeft niet bang te zijn." Eloïse Fleur antwoordde: "Ik ben niet bang." Ze deed me denken aan een jonge kraai: nog geen veertig jaar oud en compleet in het zwart gekleed. Ik stamelde: "Mevrouw, het spijt me oprecht als ik u ..." en probeerde verlegen de modder van mijn corduroy broek te kloppen. Ze onderbrak me en zei beleefd: "Het waren uw benen. Benen onder een struik doen je vrezen dat er een misdaad in het spel is, vindt u niet?" Ze zei nog kort "Bonjour" en liep zonder een antwoord af te wachten weg over de smalle weg richting Platrue Bay. Ik heb destijds nooit verder stilgestaan bij onze ontmoeting. Dat verwijt ik mezelf nu.'

'Waarom?' vraagt Maud.

'Ik had toch kunnen vragen waar ze naartoe ging? En of ik iets voor haar kon doen? Een complimentje was ook wel op z'n plaats geweest. Als ze erop had gereageerd was ik misschien vasthoudender geweest.'

'Mevrouw Willaby vermoedt dat ze naar Parijs is verhuisd om haar verdriet te vergeten,' zeg ik om Tally's slechte geweten te sussen.

'Kun je liefdesverdriet vergeten?' vraagt Maud. Ze ligt op haar rug naar de wolkeloze hemel te staren.

Nadat Tally een slok wijn heeft genomen, antwoordt hij: 'De oorzaak ja, maar de pijn nooit.' En hij gaat zo naast Maud liggen dat hun schouders elkaar schijnbaar toevallig aanraken.

'Ze moet naar Couet of Platrue Bay zijn gegaan. Niet ver daarvandaan is ook de ingang van de grote Gorey Souffleur. De stijgende vloed maakt in die grot zo'n vreemd, griezelig geluid dat veel mensen er gefluister in horen. En dan vergeten ze dat het water opkomt. Misschien is ze daar wel verdronken.'

In gedachten bij Eloïse Fleur slenter ik over het fijne zand naar zee. Ik voel hoe mijn voeten, omspoeld door water, steeds dieper in het zand wegzakken. Ik observeer hoe de aalscholvers zich met doodsverachting in de diepte storten en denk erover na hoe ik mijn verleden kan ontwijken. Berlijn verlaten? Hele straten en stadsdelen mijden? Voortdurend onderweg zijn? Dag en nacht werken?

Vanochtend kreeg ik een fax waarin mijn reclamebureau me vroeg volgende week af te reizen naar Azië om de Europese campagne voor een automerk te coördineren. Ik heb meteen toegezegd. Ik. Martha Knorr. Verre van gelukkig.

Na de door mijn leven met Tom vormgegeven jaren, door zijn bril gevoelde en waargenomen jaren, heb ik er moeite mee mezelf in mijn eentje te begrijpen. Wie ben ik? Wat wil ik? Wat wordt er van mij? Tom heeft mijn toekomst een vertrouwd gezicht gegeven. Als hij een complimentje maakte, was ik zichtbaar. Als hij luisterde, had ik een taal. Oké, die ging op een gegeven moment over in een vertrouwde sprakeloosheid, maar zorgde er toch voor dat alles bleef zoals het was.

De wind draagt Mauds stem naar me toe. Ik hoor hoe ze zegt dat ze geen tijd meer op een plek wil doorbrengen waar alles met de dood te maken heeft. Ze kan het mijn flowerpowerouders niet vergeven dat ze haar in een bejaardentehuis hebben gestopt. In *peace*. En in *love*. Zodat Kladow kon worden verkocht om met het geld een vakantieverblijf op Ibiza te financieren.

En ik? Ik heb er niets tegen gedaan. Ik stond er niet bij stil, zo druk had ik het met de fragiele zwijgmuur van mijn geluk stutten. En beschermen.

Als ik me omdraai zie ik een man van mijn leeftijd. Hij heeft een spijkerbroek en een wit T-shirt aan en een donkergroene trui losjes over zijn schouders gegooid. Zijn kinlange donkerblonde haar waait in de wind en bedekt zijn gezicht. Als Maud en Tally de onbekende vriendelijk groeten, naar mij wijzen en zwaaien, doe ik net of ik het niet merk. Ik houd mijn gezicht in de wind en kijk naar Brecqhou.

Volgende week om deze tijd ben ik in Shanghai. Dan bespreek ik met meneer Li en meneer Zuong de nieuwe reclamecampagne en denk ik na over de toekomst van een auto. En ver, ver weg van mijn leven is de wereld in orde.

Tijdens mijn vorige vlucht van Shanghai naar Parijs heb ik slapeloos ergens tussen de Gobiwoestijn en het Hoogland van Tibet een oneindig groot, onbewoond landschap gezien. Ik verheugde me op Tom en voelde me opeens helemaal leeg, na een paar dagen in een euforische roes te hebben geleefd, omdat ik voor mijn bureau de Europese campagne voor een Aziatisch automerk in de wacht had gesleept. Ik was uitgeput en stelde me voor hoe vreselijk het zou zijn als een ziekte of een ongeluk uitgerekend nu mijn leven zou veranderen. Terwijl de Gobiwoestijn als een schaduw van nog iets veel groters voorbijtrok, vroeg ik me af waarom dood en pijn überhaupt deel uit moeten maken van het leven. Of er betere of slechtere manieren zijn om dood te gaan. En of doodgaan op zich het hoogtepunt van een erbarmelijke poging om te overleven is.

Met het voornemen meer tijd met Tom door te brengen, verheugde ik me op thuis. Ik plande onze volgende vakantie en liet alle mogelijke rampen even voor wat ze waren. Ik hevelde ze als het ware over naar het volgende boekjaar en viel boven Moskou eindelijk in slaap, omgeven door een dunne laag metaal. In de ochtendschemer.

Toen Tom me 's avonds ophaalde van het vliegveld, was hij niet echt blij met mijn komst. Hij was moe en afgepeigerd en wilde meteen na het avondeten naar bed. Want hij moest de volgende dag naar München. En ik was zo naïef om te denken dat een paar dagen vakantie ons weer dichter bij elkaar zouden brengen.

'Hallo, Martha!'
    'Hallo!' zeg ik en ik draai me om.
    'Prettig kennis te maken.'
    'Met mij?'
    'Ja.'
    'Wat … eh, ik bedoel, wie ben je?'
    'Ik ben Christiaan.'
    'Tally's zoon …' Eindelijk snap ik het. Ik steek mijn hand uit om Christiaan te begroeten. Ondertussen staat mijn haar rechtop in de wind.
    Als we even later op de geruite picknickplaid zitten,

bruist Tally van de jovialiteit. Hij verklapt ons een geni-aal trucje om wijn koel te houden in de vrije natuur, kent de beste draagbare barbecue, wil weten of we een kussen nodig hebben, liever kip of kalkoen willen, en komt na een lange discussie met Maud met haar overeen dat een picknick alleen een picknick is als alles in een mand past.

Christiaan verslindt in de tussentijd in een ongeloof-lijk tempo kaas, ham, brood en de laatste vier eieren. Met mosterd en mayonaise. En als er nog maar een paar olij-ven over zijn, vertelt hij dat hij de oude Wooley is tegen-gekomen in de haven en dat die graag een boottochtje met ons wil maken.

Ik kijk bezorgd naar de woelige zee, maar Maud is meteen dolenthousiast. Terwijl Christiaan de picknick-mand inpakt en daarna met Maud vooruitloopt, gaat Tally met zijn bandrecorder in de branding een strand-loper liggen observeren. Als hij even later tevreden terugkomt, vraagt hij mij met een ondeugende blik in zijn ogen: 'En? Hoe vind je Christiaan?'

'Christiaan heeft toch zeker een vriendin?'

'Bleef het maar bij één.'

'Kan hij niet kiezen?'

'Nee … Maar hij heeft humor. Heb ik je al over mijn grote voorliefde voor zebravinken verteld? Onder biolo-gen gelden ze niet bepaald als originele onderzoeks-objecten, maar het zijn beminnelijke schepseltjes die me hebben laten zien dat vogels echt plezier hebben in het zingen. Hoewel het repertoire van zebravinken heel be-perkt is en ze daarom ook geen plek hebben in mijn or-kest. Vijf verschillende lettergrepen zijn veel te weinig en hun gezang klinkt meer als kwaken. Maar toch kwaken ze allemaal een beetje anders. En hun zangkunst is vol-doende om wijfjes te bekoren.'

'Kunnen zebravinken ook niet kiezen?' Ik snap niet waarom Tally me uitgerekend nu over deze vogelsoort vertelt.

'Eigenlijk zijn ze monogaam. Maar ze neigen tot slippertjes. Ik heb ooit een wijfje in een volière gehad dat zes verschillende relaties tegelijk had. Ze bewoonde de volière met vijf vrouwelijke en zes mannelijke soortgenoten die normaal onder die omstandigheden duurzaam paren en een nest bouwen. Maar dit wijfje zocht eerst een vaste partner en ging daarna met vijf andere in zee. En alsof dat nog niet genoeg was, liet ze de andere wijfjes ook nog haar veren krauwen.'

'Ik zou blij zijn als er in mijn leven één persoon zou zijn die mijn veren wilde krauwen. Alle goede mannen op mijn leeftijd hebben al een nest.'

'Bij vogels is het zo dat de mannetjes met middelmatig erfgoed de hele dag om hun wijfjes heen kwinkeleren om de binding te verstevigen, terwijl de bijzonder aantrekkelijke mannetjes vaak vreemdgaan.'

'Ik wil geen mannetje dat vaak vreemdgaat.'

'Dat begrijp ik. Christiaan moet de ware nog vinden. Dan houdt hij vanzelf op met zoeken,' zegt Tally, en hij zwaait naar zijn *streptopelia turtur*, zijn tortelduifje. Die zit al in de koets te wachten.

Tijdens de rit naar de haven probeer ik Christiaans charme te weerstaan en me op dingen te concentreren die ik niet leuk vind aan hem. Met de wind in de rug heeft hij bijvoorbeeld een veel te diepe uitgroei. En hij glimlacht veel te open. Dat werkt niet serieus. En het irriteert, vooral als je aan Toms onderzoekende grijns gewend bent. Tevergeefs. Ik betrap mezelf er voortdurend op dat ik inschat of ik een kans maak om Christiaan te verleiden. Tegelijkertijd schieten me de vele absurd serieus bedoelde experimenten van mijn ouders te binnen.

Om tegemoet te komen aan de tijdgeest van toen, probeerden ze krampachtig duurzaam geluk te vinden in wisselende liefdesrelaties. Ze maakten zichzelf daarbij niet alleen belachelijk, maar leden ook vreselijk onder het liefdesverdriet en de gevoelschaos die daardoor ontstond. Ze zagen er wel uit als hippies, maar eigenlijk waren ze zo burgerlijk als wat. Want terwijl mijn vader plezier had in vreemde bedden, was mijn moeder niet vrijer dan dat ze voor de dagelijkse dingen zorgde. En als er dan al eens een andere man ons huis betrad, werd mijn vader gepijnigd door onzekerheid, waarop mijn moeder, om haar huwelijk te redden, afzag van de minnaar en uiteindelijk niet meer was dan een banaal bedrogen echtgenote. Hoe kon ik dan zo naïef zijn om te geloven dat een huwelijk een egocentrisch mens als Tom zou veranderen in een trouwe echtgenoot?

17

'Creux Harbour is niet alleen de kleinste, maar vanwege zijn op kaarten niet vermelde rotsen, klippen en riskante stromingen en windvlagen ook de gevaarlijkste haven ter wereld,' beweert Tally als we bij ons doel aankomen. En het vreemde lachje van James als we afscheid van elkaar nemen maakt me nog wantrouwiger dan de aanblik van het enige in de haven schommelende schuitje sowieso al doet.

Wooley is precies wat ik me bij een echte zeebonk voorstel. Hij heeft een imposant postuur, steekt een kop boven me uit en zijn rug is zo breed dat Maud en ik erachter verdwijnen.

'Ik dacht al dat jullie niet meer kwamen,' bast hij, en hij steekt een enorme kolenschop uit om ons op zijn houten bootje te helpen.

Tally klopt zijn oude maat vriendschappelijk op diens schouder. Hij haalt diep adem, houdt zich met twee handen vast aan de reling en vraagt: 'Hoe staan de zaken?'

Wooley kijkt sceptisch naar de lucht, schuift zijn blauwe wollen muts iets omhoog en bromt: 'Te vaak slecht weer.' Dan start hij de oude dieselmotor van zijn *Lady Cry*, gooit de touwen los, licht het anker en stuurt de open zee op.

Vanaf zee ziet het amper drie kilometer lange, twee kilometer brede en aan de noordkant meer dan honderd meter boven zee uitstekende eiland er nog veel kleiner uit dan vanaf het plateau waar de Sarkezen op wonen en dat alleen via ontelbare trappen en steile wegen te bereiken is. En omdat er geen auto's, treinen en vliegtuigen zijn op deze plek, is het net of je kijkt naar iets historisch.

'Kijk toch eens wat een prachtig uitzicht!' roept Tally tegen de wind in, en hij wijst naar de naakte rotsformaties waar honderden meeuwen, aalscholvers en andere mij onbekende vogels nestelen. Dan haakt hij onopvallend in bij Maud.

'Je zou tussen de schuur en het kapelletje een uitkijktoren kunnen bouwen. Dan zou je ook zo'n prachtig panorama-uitzicht hebben!' zegt Maud. Ze doet haar zonnebril af en houdt haar broze hand ter bescherming tegen de felle zon boven haar ogen om de vogels beter te kunnen zien.

Tally strijkt een pluk van onder Mauds hoofddoek ontsnapt en over haar gezicht dansend haar naar achteren en zegt: 'En jij zou van daaruit de sterren kunnen observeren.'

En terwijl Mauds fonkelende ogen tevreden naar zee staren, drukt Tally haar zachtjes tegen zich aan. Het lijkt wel een eeuwigheid geleden dat die twee op de veerboot nog niets van elkaar wisten en ik met Maud over punten discussieerde. Omdat de eenzaamheid me van mijn verstand beroofde. Ik vraag me af waarom uitgerekend Maud het punt heeft bereikt waar ik zo naar verlang.

Net als op de veerboot wikkel ik mijn brede, wollen sjaal nog een keer extra om mijn nek en stop ik de twee uiteinden in de kraag van mijn leren jack. Ik volg met mijn ogen niet de elegante vlucht van een aalscholver, maar concentreer me op de licht gebogen lijn van de horizon. Dit is precies mijn leven, denk ik. Geen opwindende vliegstunt, maar een licht naar beneden wijzende curve.

'Toen ik nog een klein jongetje was, zag ik bij een dierenwinkel een papegaai in een kooi zitten. Hij keek erg ongelukkig. En nadat ik het een week lang over niets anders had gehad, kocht mijn moeder de vogel eindelijk voor me. Uit medelijden …' vertelt Tally.

Christiaan corrigeert hem: 'Uit zélfmedelijden. Je hebt als klein jongetje altijd gekregen wat je wilde.'

'Maar het loopt vaak anders dan je denkt,' zegt Tally glimlachend. 'Ik doopte de papegaai Berry en bracht elke dag veel tijd met hem door. Maar in plaats van met me te praten, begon hij zijn veren uit te plukken. Ik was doodongelukkig en ergerde me aan de ondankbare vogel. Het duurde een hele tijd voor ik begreep dat hij zich door zijn gevangenschap buitengesloten voelde en ik niet datgene was wat hij met zijn verenpak wilde imponeren. Zo begon ik me met vogels bezig te houden. Ik leerde dat papegaaien, zwanen, maar ook ganzen in de natuur in zwermen leven en hun uitverkoren partner pas verlaten als een van beide sterft. En toen mijn papegaai eindelijk een vrouwtje kreeg, hield hij onmiddellijk op zichzelf te mutileren.'

Terwijl Tally dit vertelt, kijk ik naar een meeuw. Met een slecht geweten denk ik aan onze kanarie Hansi, die in onze keuken in een prachtige maar kleine kooi die mijn moeder op een rommelmarkt had gevonden vegeteerde, tot hij op een dag op z'n kop aan zijn stokje hing. Mijn ouders diagnosticeerden een voorbijgaande desoriëntatie, omdat Hansi pal in de permanent door het huis trekkende wierookstaafjes-nicotine-hasjdampen hing, en zetten de kooi op de vensterbank. Maar daar wilde hij ondanks de frisse lucht en het prachtige uitzicht op de

Münchener Viktualienmarkt ook niet op zijn stokje zitten. Toen hij ook nog zo begon te hoesten als mijn vader, diagnosticeerde de dierenarts hoofdschuddend een zware bronchitis en een carcinoom op de linkerlongvleugel ter grootte van een rozijn. Ontdaan en geplaagd door een slecht geweten stopten mijn ouders met roken. De wierookstaafjes werden naar het gastentoilet verbannen. Vervolgens kwamen mijn vader en moeder vier kilo aan, omdat ze hun dagelijkse portie hasj in de vorm van koekjes begonnen in te nemen. Mijn vader verweet mijn moeder jaren later nog gewetenloos egocentrisme, omdat ze een qua kleur bij de rommelmarktkooi passende vogel had uitgezocht en niet een passende kooi voor haar vogel.

Als we over een iets grotere golftop glijden, verlies ik mijn evenwicht. Ik trap op Christiaans voet en bots hard tegen Wooleys brede rug aan. Mijn neus buigt om op een manier die ik niet voor mogelijk had gehouden en ik word door de straal van een boeggolf zo ongelukkig getroffen dat het haar aan de linkerkant van mijn hoofd druipnat is, terwijl de andere kant kroezend rechtop staat.

We sturen aan op de Moie de Mouton. Geen strand, alleen rotsachtige baaien en steile kusten. Christiaan, die waarschijnlijk kan windsurfen, snowboarden of golfsurfen en zich nergens aan vast hoeft te houden, grijpt me bij de schouders. Als Wooley de *Lady Cry* ondanks de onrustige wind langs de rafelige en gekloofde stenen door een smalle opening de grot in manoeuvreert, staat Christiaan zo dicht achter me dat ik zijn adem kan voelen.

Mijn hart begint te razen van de verrassende aanblik

van de reusachtige rotskathedraal die plotseling voor ons opdoemt. Het gevoel levend te zijn begraven snoert uitgerekend mij, begrafenisexpert, de keel. Droge mond, paniek, de grond onder mijn voeten weg. Geen astronaut die elegant navigeert in de gewichtloosheid, maar een eenzame ballon die boven open zee is verdwaald en uitgeput raakt.

Omdat ik in het donker geen lijn tussen water en rots kan herkennen, zoek ik wanhopig naar iets als een innerlijke horizon. Ik doe mijn ogen dicht en haal diep adem. In en uit.

'Heb je al plannen voor vanavond? Ik wil je graag de Adonis Pool laten zien,' fluistert Christiaan.

Terwijl de *Lady Cry* zorgelijk deint, draai ik me om. En in plaats van mijn mond te houden en me te concentreren op mijn zoektocht naar een innerlijke horizon, zeg ik: 'Je bedoelt de Venus Pool?'

'Nee, ik bedoel de Adonis Pool. Kun je klimmen?'

'Natuurlijk kan ik klimmen. Ik ben als kind een paar keer met mijn vader de Zugspitze opgeklommen.'

'Goed. Dan wacht ik om negen uur op je, voor het hotel.'

Plotseling wordt Christiaans stem heel zacht. Het bloed raast door mijn aderen, het hart klopt in mijn keel. Het lijkt wel of het uit mijn borst wil springen. Het wordt zwart voor mijn ogen.

Als ik weer bijkom, lig ik op mijn rug. Onder me voel ik de planken van het dek, boven me zie ik Maud, Tally en Christiaan bezorgd op me neerkijken.

'Alles weer in orde?' vraagt Maud en ze pakt mijn handen.

'Ik had het gevoel dat ik stikte. Ik raakte in paniek, omdat ik me levend begraven voelde.'

Tally en Christiaan helpen me weer op de been. Ik vervloek Tom, die als een twaalfarmige inktvis in me zit.

Met de grot achter ons adem ik de koele zoute lucht in. Ik kijk naar de lucht en gooi Tom in gedachten overboord. Dan schreeuw ik zo hard ik kan tegen de wind in. Maud, Tally en Christiaan schreeuwen mee. Alleen de oude Wooley zwijgt. En schudt zijn hoofd.

18

Terug in het hotel word ik al opgewacht in de bar. Honky Tonk heeft een potsierlijke zwart-rood geruite kamerjas aan, met een kraag van zwart glanzend satijn en een zwarte broek. Henk ziet er naast hem uit als een taxi-chauffeur die op zijn fooi wacht.

'Lieve groeten van Luna. Ze vraagt of je met ons mee wil op cruise,' zegt Henk, nadat hij is opgestaan om mij een plekje aan te bieden voor de open haard.

'Dank je, maar ik ga terug naar Berlijn.'

'Berlijn kan wachten.'

'Maar ik niet. Ik zet mijn liefde voor Tom niet gewoon als een illusie opzij, en ik ga ook niet net doen of ik in mijn huwelijk bescheidenheid voor geluk heb aangezien. Pas als ik de scheiding van Tom heb verwerkt, kan ik in de tegenwoordige tijd aankomen.'

'Wat wil je in de tegenwoordige tijd?' vraagt Honky Tonk en hij bestelt een gin-fizz bij Cerryth.

'Het licht en de televisie uitdoen als ik het wil. En voor een afspraakje zelf het restaurant uitzoeken, met flatteus licht.'

'Wie zegt dat?'

'Een expert voor liefdesverdriet in het beauty-en-health-deel van een Engels modeblad.'

'Zou het kunnen dat je bent flauwgevallen om …'

'Hoe weet jij dat?' onderbreek ik Honky Tonk.

'Van Cerryth,' antwoordt Henk, en hij propt een hand-jevol pinda's in zijn mond.

'Cerryth? Hoe weet Cerryth dat ik ben flauwgeval-len?'

'Hij weet het van een kapster. Mevrouw Welliby? Wil-bily? Woliby?' zegt Honky Tonk.

'Willaby,' corrigeer ik.

'Ja, die. Ze stond bij de receptie, en toen ik langsliep hoorde ik haar over je praten,' zegt Henk, nog steeds met zijn mond vol pinda's.

'En wat zei ze?'

'Cerryth zei: "Goedenavond, mevrouw Willaby," en zij zei: "Cerryth, huichelaar, wist je al dat Curly Red Head is flauwgevallen?"'

'Curly Red Head?!' herhaal ik verbijsterd.

'Ja, dat ben jij,' zegt Honky Tonk ongeduldig.

'Dank je, Honky Tonk,' zeg ik, en ik voel hoe mijn ge-duld op het punt staat zich op te hangen aan de spreek-woordelijke zijden draad.

'Graag gedaan, Curly Red Head. Wees niet verbaasd als Tom naar Gretna Green vlucht als hij je zo ziet.'

'Heeft iemand je er eigenlijk ooit op gewezen dat jij überhaupt geen haar hebt!' brul ik tegen de halve meter papier-maché. 'En hersens evenmin! En geen hart! En je zult nooit begrijpen wat mij ontroert!'

'Henk ontroert mij.'

'Nog wel.'

'Klopt, want binnenkort ontroert Luna me.'

'Luna?' vraagt Henk geïrriteerd.

'De waarheid moest maar eens aan het licht komen. Luna trouwt alleen met je om bij mij in de buurt te kun-nen zijn.'

'Dat zou ze me hebben verteld.'

'Denk je serieus dat ze je zou vertellen dat ze van mij houdt, omdat ze van jou houdt?'

'Ja. Dat is in jouw verpeste papier-machéwereld misschien niet gebruikelijk, maar ik vind het vanzelfsprekend!' snauwt Henk en hij staart woedend naar het vuur.

Ik neem me voor mijn vangreflex te onderdrukken, mocht Henk Honky Tonk in de vlammen willen gooien.

Ik sta op, schuif mijn stoel naar achteren en zeg: 'Ik moet gaan. Ik heb nog een afspraak.'

'Om deze tijd? Met wie?' vraagt Honky Tonk verbaasd.

'Met Christiaan.'

'Christiaan wie?' wil Henk weten.

'Christiaan de vogelpreparateur. Ik heb hem vanmiddag leren kennen.'

'En?' vraagt Honky Tonk.

'Hij heeft humor … en hij is de zoon van Tally.'

'En wat gaan jullie doen?' vraagt Henk.

'Christiaan laat me de Adonis Pool zien.'

'Pardon?' zegt Henk.

En Honky Tonk zegt bijtend: 'Veel plezier, hoor! Waar is die parenclub?'

'De Adonis Pool is een romantisch, natuurlijk zwembad in de rotsen, idioot!'

'Je noemt het enige wezen dat jou oprecht liefheeft, vereert en verafgoodt een idioot? Hoe kun je zo naïef zijn om te geloven dat een dierpreparateur serieus om je geeft? Hij geeft alleen maar om je uiterlijk!' roept Honky Tonk verontwaardigd en hij begraaft zijn hoofd in Henks kraag.

Heel even overweeg ik of het niet beter is om meteen naar bed te gaan.

Christiaan wacht tussen de twee kastanjebomen die aan het begin van de laan een imposant portaal van bladeren en takken vormen. Als ik over de cirkelvormige, knerpende kiezels voor het hotel loop met de lange schaduw van Horn's End aan mijn voeten vanwege het felle verticale licht van de maan, hoor ik een verdacht geluid. Het klinkt dof.

'Hoorde je dat?' vraag ik aan Christiaan en ik blijf staan.

'Dat was vast een vermolmde tak.'

'Volgens mij niet. Wacht even. Ik ben zo terug.'

Ik vind meneer Horn onder zijn wijd openstaande slaapkamerraam in een berg vers gemaaid gras.

'Meneer Horn! Alles oké?'

Een verstikte stem onder het gras antwoordt: 'Het was … onbeschrijfelijk! Ik vloog!'

Na een aantal pogingen die doen denken aan een insect op zijn rug dat probeert overeind te komen, lukt het meneer Horn zich uit de berg te bevrijden. Hij staat op en zegt met een gelukzalige blik: 'Ik ben onsterfelijk.'

Hij klopt een paar grassprietjes van zijn pyjama, wenst me een prachtige avond en gaat door de personeelsingang het hotel binnen.

'Was dat niet de stem van meneer Horn?' vraagt Christiaan als ik weer bij hem ben.

'Ja. Hij is uit het raam gevallen.'

'Om deze tijd?'

'Wat maakt het uit hoe laat je uit een raam valt?'

'Zo laat op de avond kan alcohol een reden zijn.'

'Is het niet. Meneer Horn is zomaar uit het raam gevallen.'

'Voor de lol?'

'Bij wijze van spreken. Hij heeft zich bevrijd.'

'Ik zou zeggen dat hij verdomd veel geluk heeft gehad dat Percy uitgerekend op de plek waar hij viel een berg gemaaid gras had opgehoopt.'

'Dat ook. Maar meneer Horn is nu vooral onsterfelijk.'

'Zeg jij.'

'Zegt hij.'

'Interessante methode om onsterfelijk te worden.'

'Onsterfelijkheid heeft geen methode. Het is een kwestie van cultuur. En omdat er geen cultuur ontstaat zonder de cultus van voorouders, hebben we rituelen nodig. Uit het raam gaan hangen is zoiets, net als de sigaret erna of de door gebeden begeleide verwijdering van een hoopje menselijke as. Wat meneer Horn probeert te bereiken met ophangen, probeer jij met prepareren.'

'En dat is …?'

'Levendigheid.'

'Wat is er met jou aan de hand? Ben je stoned of zo?'

'Nee, maar ik heb gedineerd met een pop van papiermaché en dat heeft een soortgelijk effect.'

Christiaan wil Honky Tonk graag leren kennen en vraagt hoe zijn ogen eruitzien. En zijn haar.

'Hij heeft rubberen ogen. Als hij zijn hoofd beweegt, wiebelen de pupillen. Zijn haar is erop getekend.'

'Ik zou een paar glazen ogen kunnen modelleren. Als de ogen niet perfect zijn, kan het haar nog zo glanzen, maar je krijgt er geen levendigheid door.'

'Heb je ooit een worm geprepareerd?' vraag ik.

'Nee.'

'Zou je het kunnen?'

'Natuurlijk. Ik kan alles prepareren.'

'Alles?'

'Alles wat de wet toestaat.'

'Vissen ook?'

'Waarom niet? Mijn vriend Ben is een echte crack op het gebied van vispreparatie. Hij overtreft iedere modelspoorhobbyist als het gaat om de details, met zijn microscalpels en instrumenten uit de oogchirurgie.'

'Ken je Adriaan Angst?'

'Wat prepareert hij?'

'Niets. Maar hij is een bijzonder goede modelspoor-hobbyist. En nachtwaker. Bovendien is hij de toekomstige wereldkampioen luchtgitaarspelen. Waar werk jij mee?'

'Diepvries, scalpel, penseel, tang, hars, ontvetter en …'

'Een ontvetter?'

'Ja. Waarom wil je dit allemaal zo precies weten?'

'Nou, je ontmoet niet elke dag een dierpreparateur.'

'Er zijn er anders genoeg van. Ik heb vorig weekend nog meegedaan aan het wereldkampioenschap prepareren. Er deden 140 deelnemers uit 25 landen aan mee.'

'En wat werd er bekroond?'

'Het beste neusgat bij een kat. De meest perfect gemodelleerde lippen bij een hyena. En de meest geslaagde roze anus bij een dwergvleermuis. Deze keer haalde de bijzonder kritische blik van een jurylid een streep door de rekening van de overwinning van mijn beste vriend. De snorharen van zijn dwerghamster waren erg goed gelukt, maar het lichaam was te gecomprimeerd. Ik ben vijfde geworden met mijn fazant.'

We lopen een smal, door wild woekerende struiken omzoomd pad op. Begeleid door de roep van een uiltje feliciteer ik Christiaan met het behalen van zijn vijfde plaats. In het maanlicht en omgeven door donkere lange schaduwen ziet hij er op de een of andere manier eng uit. En terwijl ik leer welke chemicaliën hij gebruikt om het verenpak van een dode vogel nieuwe glans te verlenen, heb ik opeens het gevoel in een horrorfilm te zijn terechtgekomen, waarin de onschuldige uitnodiging een nachtwandeling te maken eindigt met een geprepareerd lijk.

Ik probeer van gespreksonderwerp te veranderen en wijs naar een kudde koeien die in de buurt van de klippen loopt te grazen.

Nadat Christiaan even naar de zwart-wit gevlekte dieren heeft gekeken, zegt hij: 'Vogels zijn de meest veeleisende klasse. Alpenmarmotten, witstaartherten en koeien zijn veel eenvoudiger. Een mens zou nog simpeler zijn.' Hij kijkt me vol verwachting aan.

Er zijn dingen die je nog niet eens op klaarlichte dag wilt horen. Dit is er duidelijk een van. En omdat een 'waarom' of 'erg interessant' alles alleen maar erger zou maken, besluit ik het mysterie opgezette mensen, koeien of het-maakt-niet-uit-wat-voor-herten niet verder uit te diepen en concentreer ik me op het mysterie van de plek waar ik me bevind.

'Is het nog ver?'

'We zijn er zo. We moeten alleen nog langs de verlaten zilvermijnen. Daar heeft mijn opa vroeger gewerkt. Vergeleken bij zijn werk is mijn baan kinderspel. Nadat ik eraan gewend was geraakt de dood in handen te hebben, was het daadwerkelijke villen niet moeilijk meer.'

'Villen?' Ik blijf staan.

'Afstropen, het vel over de kop trekken.'

'En dan?'

'… wordt het lijf van polyurethaanschuim nageboetseerd en de poten met formaline opgespoten. De gevilde huid wordt vervolgens over het geboetseerde lijf heen gemodelleerd. Ten slotte kleur ik de naakte delen met een airbrushpistool. En behandel het geheel met een middel tegen insecten. Klaar. We zijn er.'

'Waar?' Ik tuur om te zien of ik water kan ontdekken.

'Daarboven,' antwoordt Christiaan, en hij wijst naar een plek ongeveer dertig meter boven ons.

'Daar wil je met me naartoe?'

'Ja. Je zei dat je kon klimmen.'

'Ik zei dat ik al eens op een berg heb gestaan. En daar bedoelde ik geen steile rotswand mee.'

'Het ziet er erger uit dan het is,' zegt Christiaan.

Een minuut later volg ik hem een smal en bijna verticaal oplopend pad op. Ik durf niet naar beneden te kijken en vraag me af waarom ik überhaupt naar de Adonis Pool wilde. Ik had ook met meneer Horn of de oude Wooley een strandwandeling kunnen gaan maken. Ik overweeg om mijn testament in de todolijst van mijn smartphone achter te laten, zodat achtergeblevenen kunnen lezen dat ik bij de poging op een overhangend rotsblok te springen een wisse dood tegemoet gesprongen ben en dat ik gevild en uit polyurethaanschuim geboetseerd met formaline opgespoten benen en een airbrushlijf, als fier overeind staand afschrikmiddel op deze plek mijn laatste rustplaats wil vinden. Fel met spotlicht beschenen, zodat ik ook op grote afstand zichtbaar ben.

Werkelijk interessant vind ik het middel tegen insecten dat ook wormen op afstand houdt en de dynamische lichaamshouding. En daarnaast ook het uitzicht op een gladde, rozige teint en het uitzicht überhaupt. Dat had opa ook mooi gevonden. Op zijn composthoop staand, met een blik op de Wannsee en zijn geliefde wormen aan zijn voeten. Dat had hij gewaardeerd.

Met trillende knieën en buiten adem bereik ik het rotsplateau, in gedachten nog steeds bij de verticale teraardebestelling. En terwijl ik om me heen kijk welke plek geschikt zou kunnen zijn als laatste rustplaats, trekt Christiaan doodgemoedereerd al zijn kleren uit. Dan springt hij naakt het kristalheldere water in.

'Kom je ook?' vraagt hij, nadat hij met elan bovenkomt

en zijn hoofd woest schuddend in zijn nek heeft gegooid.

Even later laat ik me vallen in de stenen weet-ik-veel-waarom-hij-Adonis Pool-heet. Ik heb Toms gele zwembroek aan. Ik voel me net een vogel die voor het eerst het nest verlaat om de sprong in het ongewisse te wagen, omdat alleen die de langverwachte onafhankelijkheid brengt. En hoewel mijn hart in mijn keel klopt, probeer ik heel gewoon te doen. Ik draai me op mijn rug en kijk naar de sterren, terwijl ik me afvraag of Christiaan ook een pechvogel als ik opnieuw zou kunnen inkleuren en tot nieuw leven zou kunnen wekken.

Christiaan ligt op zijn ellebogen leunend op een ondiepe plek in het stenen bekken. Met zijn hoofd in zijn nek. En terwijl hij naar de avondhemel kijkt, verzamel ik al mijn moed. Het kan me niet schelen als ik mezelf belachelijk maak. Ik verdring elke storende gedachte aan diepvriezen, scalpels en formaline.

Omdat elk huwelijk zijn sporen achterlaat en ik wat versieren betreft nogal roestig ben, vraag ik: 'Zou je het vervelend vinden als ik met je wil vrijen?'

Christiaan draait zijn hoofd langzaam naar me toe. Hij glimlacht alsof ik iets geks heb gezegd. Dan zwemt hij rustig naar me toe.

'Die gele zwembroek stoort me wel een beetje, moet ik eerlijk zeggen, maar … nee, ik zou het niet vervelend vinden.'

'Ook niet als ik het doe om iemand te vergeten?'

'Dan ook niet.'

En als onze lichamen elkaar bijna aanraken, fluistert hij diep in mijn ogen kijkend: 'Ik denk niet dat het zo eenvoudig is, maar we kunnen het proberen …'

Hij trekt me naar zich toe en kust me. En ik denk niet aan Tom. En ook niet aan Las Vegas. Ik denk dat elke minuut een mogelijk einde maar ook een begin kan bevatten. En terwijl talloze sterren in het kristalheldere water van de Adonis Pool ondergaan, vrij ik met Christiaan. Zwemmend en zwevend. Steeds opnieuw. Tot het ochtend wordt.

Als we stevig omarmd terug naar het hotel lopen, stijgt de zon net op uit zee. Hij werpt een lange schaduw op Las Vegas.

En ik heb voor het eerst sinds lange tijd het gevoel echt vrij te zijn.

19

'Martha … Martha … wakker worden!'

Als ik mijn neus boven het dekbed uit steek, staat Henk voor me. Hij heeft een kop koffie in zijn hand.

'Ik heb ontzettend lang op je deur staan kloppen. Het kamermeisje heeft uiteindelijk voor me opengedaan …'

'Geen zorg. Ik leef nog.'

'Wat is er met je haar gebeurd?'

'M'n haar?'

'Ja. Het ziet er zo anders uit. Niet oninteressant, maar op de een of andere manier … pluizerig.'

Ik sleep mijn vermoeide lijf uit bed en staar in het neonlicht van een spiegelend driedeursbadkamerkastje naar ontelbare pluisnestjes van verschillend formaat. Ze misvormen mijn hoofd totaal en verlenen het een surrealistische achthoekige vorm. Ik vind mezelf eigenlijk best aantrekkelijk.

'Het gaat me natuurlijk niets aan, maar … heeft Christiaan aan je zitten prepareren?' vraagt Henk voorzichtig. 'Je ziet er zo anders uit.'

'Ik heb de fik in Las Vegas gestoken,' zeg ik peinzend, terwijl ik me afvraag of mevrouw Willaby de nestjes kan verwijderen of beter meteen de schaar kan pakken.

'Oké. Er was dus brand vannacht. In Las Vegas?' vat Henk samen. 'En hoe heb je die geblust? Met mentale kracht? Telepathie? Of vloog je, net als Spider-Woman …

of Catwoman … maar dan zonder beschermend pak.'

'Grappig, hoor! Ik was met Christiaan in de Adonis Pool.'

'Met de preparateur.'

'Ja.'

'Dat klinkt zo belachelijk! Het lijkt wel verzonnen!'

'Is het niet. En vertel me niet dat jouw leven zonder clichés is.'

'Begrijp me niet verkeerd. Ik heb niets tegen clichés. En ook niets tegen Christiaan, maar … je zou jezelf eens moeten zien.'

'Ik weet het. Wat moet ik doen? Naar mevrouw Willaby?'

'Als ik iets voor je kan doen … Je vindt me in de ontbijtzaal. Overigens is Tom in aantocht. Hij wil je vanmiddag zien.'

'En waarom kan hij me dat niet persoonlijk zeggen?'

'Omdat je altijd zo emotioneel reageert.'

'Ik reageer helemaal niet emotioneel, verdomme! Ik reageer totaal rationeel. Ik ben heel ontspannen, ik heb me al maanden niet zo goed gevoeld! Zo. En nu wil ik alleen zijn, alsjeblieft.'

'Oké, oké, ik ga al. Tom wil je om vier uur vanmiddag ontmoeten in het Bel Air Inn Hotel bij Harbour Hill.'

Henk slaagt er nog net in de deur achter zich dicht te trekken voor mijn kussen hem raakt. Ik laat me woedend op bed vallen en voel opeens een stekende pijn in mijn linkerheup. Even later voelt mijn linkerbeen aan als pudding.

Een enkel woord van drie letters en ik zit helemaal vast. En terwijl ik naar het plafond staar, hoop ik dat het puddinggevoel in mijn been zich over mijn hele lichaam verspreidt. Alles van pudding. Vooral mijn hersenen. Zodat het denken eindelijk ophoudt.

Een paar weken geleden zou ik niets liever hebben gewild dan Tom zien. Ik gedroeg me kleintjes en dacht dat als ik me maar niet bewoog, het niet zo'n pijn zou doen. Kleine stapjes. Kleine stapjes. Niets verwachten. Alleen maar wachten. Op Tom.

Maar nu? Afgelopen nacht heb ik iets meegemaakt wat ik een paar dagen geleden nog voor ondenkbaar had gehouden. Ik heb gevreeën. Zonder verliefd te worden. Genomen, zonder vast te houden. En ik heb me in een avontuur begeven waarvan ik niet wil weten hoe het eindigt. Ik leef niet in de toekomst en wil niet in het verleden leven. Ik leef hier en nu. En ik bemin en houd van het leven.

Omdat ik onder de douche het verdoofde gevoel in mijn been niet kwijtraak, niet met koud en niet met warm water, verzoek ik Cerryth een dokter te bellen. Maar hij adviseert mevrouw Horn, osteopaat en expert in klemzittende zenuwen.

Met een hoofddoek om die de koningin-moeder niet zou hebben misstaan, rubberlaarzen, een mand bloembollen in de hand en een jas die zonder kraag en mouwen ook voor aardappelzak had kunnen doorgaan, kijkt mevrouw Horn me even later hoofdschuddend en onderzoekend aan.

Ze zet haar bloembollen op tafel, trekt haar jas en laarzen uit, knielt neer naast mijn bed, draait me op mijn buik en zegt: 'Dat dacht ik al. U bent helemaal verkrampt.'

'Dat weet ik,' zeg ik met een van pijn vertrokken gezicht.

'Het is een wonder dat u zich überhaupt nog kunt bewegen. Til uw linkerbeen eens op ... En nu het rechter ...'

Mevrouw Horn voelt op een bepaalde plek tussen

heup en wervelkolom, en terwijl ze me kneedt, wil ze weten of ik inlegzooltjes heb. En of alles in orde is met mijn seksualiteit.

'W-a-a-r-o-m?' vraag ik in het ritme van haar knedende handen.

'Nou, omdat uw rugspieren zo hard zijn. Het lijkt wel of u op een spijkerbed slaapt. Uw nekspieren zijn van beton. Zit u veel? Ik bedoel, op de momenten dat u niet op uw spijkerbed slaapt?'

'Nee,' steun ik, 'eigenlijk niet meer dan ieder normaal mens.'

'Toen mijn man uit het raam begon te hangen …'

'Dat weet u?' vraag ik verbluft, en ik vergeet heel even mijn pijn.

'Natuurlijk weet ik dat.'

'Maar meneer Horn denkt …'

'Natuurlijk denkt hij dat. En dat is ook prima. Anders waren we misschien allang gescheiden. Voor Malcolm uit het raam ging hangen, waren zijn spieren overigens net zo gespannen als de uwe.'

'Maar ik hang niet uit het rah-raam. Waarom vertelt u uw man niet de wah-waahr-heid?'

'Omdat mijn man sinds hij in zijn midlifecrisis zit alles wil horen behalve de waarheid. Hij droomt van een ander leven, zit vol malle ideeën, verlangt naar vlinders in zijn buik. En hij gedraagt zich als een jonge hond. Ach, wat zeg ik, nog veel erger dan master Horny. En wel de godganse tijd!'

'Waah-rom praat u niet met hem?'

'Met Malcolm? Bij de zin "We moeten praten, lieve schat" slaat hij op de vlucht. Net als bij kritische vragen en andere zinnen die het werkwoord "moeten" bevatten, overigens.'

'Dat ken ik. Dan zijn ze Oost-Indisch doof.'

'Zelfbescherming is dat. Omdat hun gevoel van eigen-waarde heel kwetsbaar is. Relatietechnisch zijn mannen veel bescheidener dan wij …' beweert mevrouw Horn.

'Maar dat is toch het pro-blee-eehm. Wij vrouwen zijn niet bescheiden. We zijn veeleisend. Voortdurend. We zoeken aandacht. Willen over onze gevoeh-lens kunnen praten. En als we moeten vra-ahgen of er nog van ons gehouden wordt en er dan een vermoeid "jaahaa" komt, hoeft het van ons niet meer.'

'Dat zou Malcolm veel te ingewikkeld zijn. Hij komt niet eens op het idee dat mijn seksualiteit iets met hem te maken zou kunnen hebben. Hij denkt nooit na over mij en onze relatie. Maar hij stelt na een tijdje wel vast dat er iets is veranderd. En dan bevredigt hij zijn drift ergens anders.'

'Maar er bestaan toch ook andere mah-mah-man-nen …'

'Ik heb het over mijn man, Malcolm Horn, die het best luistert als ik hem bewonder. En omdat alle pogingen om hem te veranderen tot nu toe mislukt zijn en ik geen zin heb om er nog energie in te steken, concentreer ik me op zijn prachtige kanten. Ik hou van zijn kleine en grote ge-breken en maak hem niet verantwoordelijk voor mijn geluk. En ik geef hem zo vaak ik kan complimentjes.'

'En met wie praat u over uw problemen?'

'Ik praat zo goed als nooit over problemen.'

'Hoe kan dat nou? Bent u een mens of een machine?'

'Met mijn dagelijkse dingetjes ga ik naar Cerryth. En hij bespreekt ze dan met mijn man.'

'Maar ik heb geen Cerryth.'

'Tja. Nogal jammer. Ik vind dat elk huwelijk een Cer-ryth zou moeten hebben.'

'Maar het zou toch ook leuk zijn als je met je eigen man over de dagelijkse dingen kon praten?'

'En waar vind ik die? Aan de andere kant van het eiland? Denk maar niet dat daar betere exemplaren huizen. Ik laat mijn van verveling uit het raam hangende en aan zijn fantasietjes toegevende Malcolm lekker dromen. Zo maakt hij mijn droom van oud worden tenminste niet stuk. Zo is het met het geluk.'

'Maar dat is toch een slap compromis!'

'Wacht maar tot u vijftig bent. Dan zien uw compromissen er ook anders uit.'

'Maar Malcolm wordt ook ouder.'

'Hij kan in tegenstelling tot mij echter nog kinderen verwekken, en op zijn leeftijd te allen tijde nog een vrouw vinden die hem haar beste jaren schenkt om haar genenmateriaal te optimaliseren. Hij krijgt bakken vol liefdesbrieven.'

'Meneer Horn?'

'Ja. Veel vrouwen die hier hun vakantie doorbrengen, zien in Malcolm de perfecte echtgenoot. Hoe hij met master Horny uitgaat, met toewijding de gasten bedient, met complimentjes strooit, beleefd en vriendelijk is en altijd een goed woordje overheeft voor zijn personeel. Vanochtend bracht hij me trouwens ontbijt op bed. Hij was ongewoon goedgemutst en stelde voor een uitstapje te maken op onze huwelijksdag. Onze twee oudste zoons zouden oud genoeg zijn om het hotel een week zonder ons te runnen. Vreemd, hoor! Hij zal toch niet uit het raam zijn gevallen?'

Mevrouw Horn trekt nog een keer fel aan mijn linkerbeen, en nadat het duidelijk heeft geknakt, zegt ze: 'Om de doorbloeding te bevorderen adviseer ik de antilope en lange strandwandelingen. Mocht u daarbij mijn man tegenkomen, zeg hem dan niets over ons gesprek. Het zou hem verwarren. En de hoge mate van realiteit zou hem desillusioneren.'

Mevrouw Horn trekt haar laarzen weer aan, gooit haar jas over haar schouders en pakt de mand met bloembollen van tafel.

Voor ze met een humeurig 'cheers' verdwijnt, zegt ze nog: 'Ik zal een kopie van de antilope bij de receptie achterlaten.'

Omdat ik me niet kaal wil laten scheren en ook niet wil dat de nestjes uit mijn haar worden geknipt en de kale plekken worden geverfd, besluit ik een fles bodylotion op te offeren. Onder de douche lukt het me uiteindelijk alle nestjes te ontwarren op een paar gordiaanse knopen vlak boven mijn nek na. En terwijl ik met mijn hoofd voorover mijn haar föhn, stel ik me voor hoe ik voor Tom zal staan. Zelfbewust en goedgehumeurd zal ik niet toestaan dat hij ziet hoe ik me echt voel. Ik zal vooral niet zielig zijn. Ik ga gewoon zitten stralen terwijl Tom wacht tot ik de scheidingspapieren onderteken. Omdat alles al is gezegd …

Omdat ik toch graag een blik op de toekomst wil werpen, ga ik weer eens op zoek naar Madame Charlotte. Ik ben erg verrast als ik haar omringd door drie hutkoffers en een berg reistassen in de lobby ontmoet.

'Madame Charlotte! Vertrekt u? En mijn toekomst?'

Madame Charlotte geeft Cerryth haar creditcard en zegt met een mysterieuze blik over de rand van haar zwarte bril: 'U moet nog een keer verdwalen om te vinden.'

'Dat is alles?' vraag ik, een beetje radeloos.

'Dat is alles,' verzekert Madame Charlotte me, en ze zet zich met haar kofferkaravaan in beweging.

Cerryth adviseert me om een navigatiesysteem op mijn mobiele telefoon te downloaden.

En achter zijn hand fluistert hij: 'Nora was vannacht bij me. Ze is helemaal anders. Ik wist het wel. Je moet vrouwen gewoon laten wachten. Dan komen ze vanzelf.'

Voor ze het hotel definitief verlaat, draait Madame Charlotte zich nog een keer om. Met haar diepe stem roept ze: 'O-re-voa! Doe Maud de groeten!'

Ik besluit Cerryth niets te vertellen over mijn ontmoeting met Nora en fluister: 'Gefeliciteerd.' Dan vraag ik hem of Maud al heeft ontbeten.

'Maud was vannacht helemaal niet hier,' zegt Cerryth, en hij zwaait met haar tussen zijn duim en wijsvinger bungelende kamersleutel.

Nadat ik hem kan overreden Mauds kamer voor me open te maken, verraadt een blik op het bed en haar gesloten, naast de telescoop liggende notitieblokje dat Cerryth gelijk had. Mauds laatste notitie is twee dagen oud en gaat niet over sterren, maar over dingen op het eiland. Vooral die rond Tally's huis, dat ze met haar telescoop van hieruit heel goed kan zien.

Even later zet ik mijn fiets tegen de brokkelende muur van het kapelletje en vind ik Maud in de wei erachter. Ze is net bezig om met een draad en houten paaltjes de omtrek van een uitkijktoren af te steken. Ze loopt met grote passen op en neer, krabt op haar hoofd, kijkt naar de lucht, steekt haar wijsvinger in haar mond en houdt hem in de wind. Ze is helemaal niet verbaasd dat ik plotseling naast haar sta.

'Is dit niet de perfecte plek om naar de hemel te kijken?' vraagt ze vrolijk, en ze geeft me een zoen op mijn voorhoofd. Dan gaat ze in het midden van het zeshoekige vlak staan en wijst naar haar voeten. 'Hier komt een open haard. In de zomer kunnen de zes grote ramen gewoon worden opengeschoven en in de winter zorgt een dik gordijn ervoor dat het niet te sterk tocht. Ik kan bijna niet wachten tot ik een nacht in mijn toren kan slapen.'

'Ik moet je de groeten doen van Madame Charlotte. Ze is vertrokken.'

'Ben je speciaal gekomen om me dat te vertellen?'

'Je hebt vannacht niet in je kamer geslapen.'

'Jij ook niet.'

'Hoe weet je dat?'

'Dat zie ik. Christiaan had vanochtend toen hij thuiskwam hetzelfde trekje om zijn mond. Koffie of thee?'

In de keuken lijkt het wel of er een verwoestende tornado is langsgekomen. En terwijl ik over oude vogelblaadjes, verkoolde pannen, kopjes met afgebroken oortjes en al dan niet beschadigde vaat stap, zegt Maud als ze mijn ontsteltenis ziet: 'Ik ben begonnen met opruimen.'

'Je kent Tally pas een week en je zit nu al in zijn kastjes te rommelen? Waar zit precies de afstand in jullie resonantierelatie?'

Ik schuif een stapel oude telefoonboeken opzij en ga in de oude rieten stoel zitten waar Maud in zat toen we samen bij Tally de avond doorbrachten.

'Tally heeft het me gevraagd. Hij wilde al een tijdje orde in de chaos brengen.'

'En je hebt hem niet uitgelegd dat chaos een wezenlijk bestanddeel van ons bestaan is?'

'Goed opgelet,' zegt Maud, en ze zet de ketel zo vanzelfsprekend op het fornuis alsof ze al haar halve leven in deze keuken heeft doorgebracht. Dan legt ze een paar sneetjes toast op een bordje en zet boter, jam en honing op tafel. Door de openstaande terrasdeur kijk ik naar het kapelletje.

'Waar denk je aan?' vraagt Maud terwijl ze kokendheet water in een theekan giet.

'Aan niets.'

'Je kunt niet aan niets denken. Onmogelijk. Ondenkbaar. Er bestaat namelijk geen punt buiten je denken. Denken is als ademhalen. Als je ermee ophoudt, hou je op met leven.'

'Ik zie Tom over een uur en er gaat ineens zoveel door mijn hoofd dat ik, om je vraag te beantwoorden, een dag, een week, een jaar nodig zou hebben. En toch zou het me niet lukken, omdat ik de vele over elkaar liggende en in elkaar grijpende lagen van mijn gedachten onmogelijk in woorden kan vatten. In mijn hoofd gebeurt zoveel meer dan kan worden uitgesproken.'

'Dat klopt. Als we ons denken woord voor woord moeten weergeven, zitten we gevangen in de beperking van onze taal. Het is een beetje als het fluisteren in de Gorey Souffleur. Hoe meer we proberen onze gedachten in detail te beschrijven, hoe meer we tot de conclusie komen dat we nooit alle daarin verborgen dimensies kunnen verwoorden.'

'Waar is Tally eigenlijk?' vraag ik na een slok thee.

'Naar het postkantoor om een brief voor me weg te brengen.'

'Wat voor brief?'

'Ik heb het bejaardentehuis geschreven dat ik niet terugkom. Ik blijf hier. Martha, ik heb mijn plekje gevonden.'

'Dus toch een punt!'

'Nee, geen punt. Dat hier is mijn universum. Nadat ik Australië had verlaten dacht ik dat mijn geluk in de sterren lag. Ik verlangde ernaar een stukje hemel aan te raken. Maar ik had niet de moed om mijn vleugels uit te slaan. Tot ik hier kwam.'

'Gaan jullie trouwen?'

'Waarom? Wist je eigenlijk dat de bruidegom vroeger in Groot-Rusland handelaar werd genoemd en de bruid de handelswaar?'

'Dat is lang geleden.'

'Toch is het huwelijk voor mij ook nu nog niets anders dan een ruilhandel die de behoefte aan zekerheid moet stillen. We doen net of we bereid zijn te allen tijde alles te geven in dit handeltje, alleen om er zeker van te zijn dat we ook alles krijgen. En alles mogen houden. Hoewel we weten dat we in de ruil niet kunnen winnen zonder ook te verliezen. Omdat we de vrijheid zijn kwijtgeraakt om mis te verstaan.'

Maud pakt een ui uit een schaal en houdt hem omhoog.

'In theorie kan in ons universum de vleugelslag van een vlinder in het Caraïbisch gebied een wervelstorm veroorzaken aan de andere kant van de wereld. Daar bestaan geen overeenkomsten, geen regels voor. Het universum waar we in leven is opgebouwd als een ui. Werelden in werelden in werelden in werelden. Met een vergrootglas zou je jouw wereld kunnen verlaten, om in de glasheldere waterdruppel die net uit de waterkraan komt een heel andere wereld te ontdekken waarin de meest vreemdsoortige creaturen zwemmen.

Met een elektronenmicroscoop kun je het beeld miljoenen keren vergroten. En met een atoomkrachtmicroscoop gaat de moleculaire wereld voor je open, waarin alles wat je weet over deze wereld er niet meer toe doet. Het is een wereld waarin elk atoom minder dan een miljoenste millimeter groot is.'

'Sorry, maar dat is me te klein,' zeg ik en ik bijt in mijn toast met jam.

'Het kan nog kleiner, Martha. Hoewel alleen de wiskunde zich nog een voorstelling kan maken van de snaren. Hun verhouding is die van ons zonnesysteem tot een atoom.'

'Maud, mocht je me met je voordracht gerust willen stellen, je bereikt het tegendeel. Het idee dat een reusachtig wezen momenteel door een microscoop naar mij zou kunnen kijken maakt me nerveus. Voor zo'n wezen is mijn wereld niets anders dan een cel en ik ben een van de tig ijverige beestjes die hun taak vervullen.'

'Dat wezen zou oeroud moeten zijn en de kans dat het uitgerekend jou zou ontdekken is zo goed als onmogelijk, omdat het licht dat ons in leven houdt uit een tijd stamt waarin mensen nog helemaal niet bestonden,' zegt Maud en ze bijt op een stukje kandij.

'Het kan me niet schelen hoe oud dat wezen is. Ik heb er een probleem mee om zo klein te zijn.'

'*Voyager 1* bevindt zich momenteel op meer dan 11,817 miljard kilometer van de aarde en zelfs na 23 jaar komen nog steeds zendimpulsen aan. Het duurt inmiddels meer dan tien uur voor ze ons bereiken.'

'Zo lang heeft het geduurd om van Berlijn naar Sark te komen. Inclusief overnachting.'

'De *Voyager 1* vliegt niet naar een vakantiebestemming, maar naar de heliopauze.'

'Heliopauze?'

'Dat is de grens waar de zonnewind en het interstellaire gas op elkaar botsen. Over twintigduizend jaar passeert de *Voyager 1* de komeetgordel van de Oortwolk die ons zonnesysteem omhult. En over honderdduizend jaar bereikt hij onze directe buren in ons zonnesysteem. Alpha

Centauri. Maar achter die sterren bestaat een nog veel grotere structuur: het Melkwegstelsel. Ik zou je met mijn verrekijker de rand van ons Melkwegstelsel kunnen laten zien. Onze Melkweg strekt zich uit over honderden lichtjaren en de enorme sterrennevelen bestaan uit miljarden zonnen. Wij wonen in de Orionarm van zo'n spiraalnevel.'

'Goed. Je trouwt dus niet met hem.'

'We kunnen wel het weer voorspellen, maar zullen nooit weten waar elke waterdruppel valt. Zoals ik elke dag leer zonder ooit te weten, kan ik toch ook liefhebben zonder te bezitten?'

'Ik kan dat niet. Mijn frustratiegrens ligt op dit punt heel laag. Als ik ergens van hou, wil ik het hebben. Punt.'

'Weet je eigenlijk waar je uit bestaat?'

'Vlees en bloed?'

'Tien biljoen cellen. Dat is een één met dertien nullen. Je bestaat hoofdzakelijk uit calcium, kalium en koolstof. Als een ster dooft, slingert hij exact die elementen het heelal in. In een spectaculaire gaswolk. Je bestaat uit sterrenstof, lieve Martha.'

Christiaan komt ongeschoren, op blote voeten, met warrig haar, in T-shirt en een gestreepte pyjamabroek de keuken in lopen. Hij begroet Maud met een beleefd '*Good morning, madame*' en mij met een kus op de wang. Dan schenkt hij een kop thee in en heeft hij het over de uitkijktoren, de wind, het weer en dat hij de veerboot over een uurtje niet mag missen, omdat hij vanavond in Manchester een dierentuindirecteur uit Sydney ontmoet.

Plotseling vliegt er een merel de keuken binnen. Eerst gaat hij op Mauds schouder zitten. Dan springt hij op

Christiaans hoofd. Vervolgens pikt hij een paar kruimeltjes onder de tafel vandaan en klimt hij tegen me op alsof mijn been een tak is. Ten slotte vliegt hij van mijn knie weer naar Maud.

'Als Balthasar verschijnt, is mijn vader niet ver weg,' zegt Christiaan.

Maud loopt het terras op en ziet Tally. Hij heeft net de kleine baai achter zich gelaten en komt langs de bloeiende vlinderboom waar duizenden atalanta's in zitten om van de zoete nectar te snoepen.

Christiaan trekt me de keuken uit, het kapelletje in, dat er in het daglicht troosteloos uitziet. Omdat alle vogels zijn uitgevlogen.

Nadat we in de kerkbank vlak voor het altaar zijn gaan zitten, legt hij zijn armen wijd op de rugleuning en zijn hoofd in zijn nek. Starend naar de vermolmde dakbalken zegt hij: 'Hier zat ik als jongetje vaak urenlang te dagdromen.'

'Ik ontmoet Tom over een halfuur in het hotel bij Harbour Hill. Hij wil dat ik de scheidingspapieren teken.'

'Teken ze toch gewoon. Wat heb je te verliezen?' vraagt Christiaan en hij legt zijn arm om mijn schouder.

'Mijn grootste droom?'

'Dromen zijn er zoveel. Toen ik nog klein was, vertelde mijn opa mij bij het vissen altijd over de wispelturige, moordlustige dochters van de oorlogsgod Ares. Ingesnoerd in een gepantserd harnas en zwaarbewapend voerden ze hun eigen legers aan. Ze sneden hun rechterborst af om bij het speerwerpen en boogschieten niet onder te doen voor de mannen. Ik droomde er destijds van om met zo'n vrouw te vechten.'

'Ik dacht dat je zo'n idyllische jeugd had gehad.'

'Misschien iets té idyllisch? Blijf jij ook hier?'

'Kan ik niet. Ik moet volgende week naar Shanghai. En als ik terug ben moet ik waarschijnlijk op zoek naar een nieuwe woning. Henk heeft me aangeboden dat ik bij hem kan wonen, zolang hij met Luna op cruise is, maar om onder Toms nieuwe leven te wonen is niet echt het juiste uitgangspunt om mijn uit evenwicht geraakte bestaan weer op de rails te krijgen. Ken jij de antilope?'

'Ik ken een Nieuw-Zeelander die ze heel goed kan prepareren …'

Ik haal een fotokopie uit mijn broekzak en zeg, terwijl ik met mijn vinger naar een getekend poppetje wijs dat naast een A knielt: 'Ik bedoel de antilope uit de *Kamasutra*. Je knielt a) voor mij neer, waarbij je linkerbeen in een rechte hoek gebogen blijft. Ik ga b) op je linkerbovenbeen zitten, omarm je, terwijl jij me c) langzaam optilt en ik mijn benen d) om je middel heen vouw. Dan laat ik e) mijn bovenlichaam voorzichtig achterover naar de grond zakken tot ik f) mijn handen voor je voeten op de grond kan zetten. En dan …'

'Hoe kus ik je?' vraagt Christiaan.

'Mevrouw Horn vindt dat ik scheef ben. Ze zegt dat ik zo weer recht word.'

'En ik?'

'Daar hebben we het niet over gehad. Je zou me natuurlijk ook uit het raam kunnen hangen.'

'Dat is me te hoog.'

'Mij ook.'

Christiaan pakt mijn hand, kijkt op zijn horloge en zegt: 'Ik moet er zo vandoor.'

Hij steekt de fotokopie in zijn zak, pakt me bij mijn heupen, trekt me tegen zich aan en zegt overdreven ernstig: 'Eigenlijk wilde ik trouwen met de Amazonekoningin Thalestris. Zij bezocht Alexander de Grote met driehonderd metgezellinnen, om dertien dagen later zwanger van hem de terugreis te aanvaarden.'

'En jij was natuurlijk Alexander de Grote in je droom …'

'Natuurlijk. En Theseus, die de Amazonekoningin Antiope veroverde. En Achilles, die verliefd werd op Penthesilea.'

'Maar pas nadat hij haar had gedood.'

'Dat begreep ik destijds nog niet zo goed. Ook nu kan ik je de liefde niet uitleggen. Ik vermoed alleen dat, als je liefde wilt ervaren, je van iets hogers uit moet gaan dan van geluk of ongeluk, trouw of het verlangen naar eeuwig geluk.'

'Is het niet raar dat we de meest afgelegen plekken van ons Melkwegstelsel opzoeken om de liefde te begrijpen, terwijl we schouderophalend accepteren dat we elkaar voortdurend misverstaan? Steeds weer? Ruzie na ruzie? Oorlog na oorlog?'

'Zoenen is heel goed tegen misverstanden,' zegt Christiaan en hij slaat zijn armen om me heen.

'Zoenen?'

'Ja. En dansen. We zoenen en dansen te weinig.'

Christiaan geeft me een lange, tedere zoen.

Ik maak me los uit zijn armen en fluister: 'Ik wil eerst dansen.' En dan loop ik de kapel uit.

Christiaan vangt me, wervelt me in de rondte, tilt me op en zingt, terwijl hij me op zijn rug naar mijn fiets draagt *She Is Dancing* van Brian Kelly. Een van mijn lievelingsliedjes.

En ik verlang zo naar het geluk dat ik dat ogenblik het liefst weer tot een eeuwigheid zou maken. Hoewel ik weet dat het nog een kleine eeuwigheid zal duren voor een ogenblik in mijn leven weer tot liefde kan worden.

'*She is dancing. He is dreaming. She is dancing. I am*

dreaming again. And I'll love her, forever. I'll love her, till the end,' zingt Christiaan. En dan zet hij me voorzichtig neer.

Ten afscheid zeg ik: '*He is dreaming,*' en ik geef Christiaan een kus op het puntje van zijn neus. Dan stap ik op mijn fiets. Ik ga op weg.

20

In het restaurant van het Bel Air Inn zijn maar een paar tafeltjes bezet. De meeste gasten hebben al gegeten en drinken thee in de lobby. Of ze zitten te lezen bij de open haard.

Ik ga zo zitten dat ik uit het raam kan kijken. Ik zou het liefst weggaan. Geen weerzien. Geen scheiding. Het idee de scheiding te ontlopen tot de relatie met die nieuwe vrouw ook weer voorbij is, was me een paar weken geleden nog goed bevallen. Maar nu roept deze gedachte geen hoop meer op, slechts een gevoel van hopeloosheid. Toen we uit elkaar gingen, tikte Toms klokje gewoon door alsof er niets gebeurd was. Mijn klok bleef stilstaan. Ik trok me terug in een luchtbel waarin ik het verleden inhaleerde. Terwijl ik was omgeven door een dun vliesje dat elk moment kon knappen zat vanaf die dag de angst me op de hielen. Lag op de loer. En knaagde gulzig aan mijn hoop. Elke stap was een dans op het slappe koord. Als ik mijn evenwicht maar niet verloor. En dat terwijl ik nog maar uit één helft bestond.

Als Tom het restaurant binnenstapt, ziet hij er in zijn pak, de glimmende, handgenaaide schoenen, de gele kasjmieren sjaal en met een uitdrukking op zijn gezicht alsof hij een Australische reptielenshow inspecteert, uit als Honky Tonk.

Hij loopt straal langs me heen. Dan blijft hij staan, draait zich om en zegt: 'Martha?'

'Hallo, Tom. Lang niet gezien.'

'Je kapsel maakt een ander mens van je. Zijn er geen echte kappers op dit eiland?'

'Jawel, hoor. Maar het klimaat is funest.'

Tom schraapt zijn keel. Dat doet hij altijd als hij iets niet begrijpt. Hij gaat tegenover me zitten.

'Je bent niets veranderd,' zeg ik glimlachend en ik zoek een vertrouwde blik.

'Waarom ook? Ik heb wat papieren meegenomen waar je even naar moet kijken.'

Tom geeft me een hoesje met wat volgeschreven, losse blaadjes.

Hij bestelt een kop koffie voor mij, een glas water voor zichzelf en zegt: 'Jij krijgt de auto, de meubelen en een eenmalige afkoopsom voor het appartement …'

De serveerster onderbreekt Toms idee van mijn toekomstige leven. Ze zet de kop koffie bij Tom neer en het glas water bij mij.

Terwijl ik naar mijn koffie grijp en Tom naar zijn water, vraag ik: 'Hoe is het met je?'

'Goed, dank je. En met jou?' antwoordt Tom op de automatische piloot.

'Niet zo goed. Ik vraag me af hoe het zover heeft kunnen komen.'

'Wat wil je horen? Wat klaar is, is klaar. Dit heeft toch geen zin nu.'

'Je zou ten minste kunnen proberen het uit te leggen. En als je het niet uit kunt leggen, zou je ten minste kunnen zeggen dat het je spijt.'

'Zou dat iets veranderen? Zou het beter met je gaan als ik op mijn knieën van Berlijn naar Sark was komen kruipen?'

'Je zou ten minste figuurlijk op je knieën kunnen gaan.'

'Ik wil het niet meer over het verleden hebben, Martha,' zegt Tom en hij vouwt zijn handen. 'Ik was op een punt in mijn leven aangekomen waarop er iets moest veranderen. En dat had niets met jou te maken.'

En dan praat hij toch over vroeger. Hoe hij verliefd op me was geworden. En omdat hij over de nieuwe vrouw in zijn leven met geen woord rept, groeit bij mij de hoop dat hij misschien toch spijt heeft.

Als hij de wens uitspreekt dat we beiden gelukkig worden, zeg ik: 'Is het niet vreemd dat we zo ver uit elkaar moesten drijven om weer dichter bij elkaar te komen?'

'Ja …' zegt Tom geïrriteerd.

Hij neemt een grote slok water, benadrukt dat het echt geen eenvoudige beslissing was en dat het een hel voor hem is geweest. Het gevoel alles te hebben bereikt in het leven en dan toch die gapende leegte. En de twijfel. Maar toen de verhuisdozen waren ingepakt en zijn meubelen werden opgehaald, toen …

'Toen?' vraag ik nieuwsgierig, omdat Tom zijn verhaal onderbreekt om de serveerster te wenken.

'Toen was ik echt blij dat het voorbij was.'

'Bedoel je met "het" mij?' vraag ik, en ik voel een steek in mijn borst, een trap in mijn knieholte, een dreun tegen mijn kaak. 'Ik dacht dat het je speet.'

'Doet het ook, maar het leven gaat door. Mijn huidige … ik bedoel … mijn toekomstige vrouw …'

'… is vast net je moeder,' flap ik eruit.

'Hoe weet je … ik bedoel … wat ik wilde zeggen … waarom niet? Die ken ik. Daar kan ik mee omgaan. Geen nare verrassingen. Geen stress. Ze neemt me zoals ik ben. En ze zeurt niet.'

'Nóg niet.'

'Bovendien kan ik niet zo goed alleen zijn als jij.'

'Niet zo goed alleen zijn als ik?!' roep ik verbijsterd uit. 'Weet je wel hoe eenzaam de afgelopen maanden zijn geweest? Hoezeer je leugenachtige vertrek me uit mijn evenwicht heeft gebracht? Hoe ik sindsdien probeer mijn houvast niet te verliezen? Op zoek naar de juiste antwoorden? De juiste vragen? Wat waren al die jaren toen ik dacht te weten wie je was en wat ik deed?'

Tom kijkt gegeneerd om zich heen en sist: 'Niet zo hard, Martha ...'

Ik zou het liefst zijn ogen uitkrabben. In plaats daarvan sta ik op en zeg ik dat hij eruitziet als een gladjanus. Dan loop ik naar de wc om te huilen.

Als ik terugkom is Tom weg. Hij heeft een berichtje achtergelaten op tafel: *We zien elkaar morgen tegen twee uur in het hotel. Tegen die tijd ben je hopelijk gekalmeerd en heb je het contract ondertekend.*

Ik reken mijn kop koffie af, snuit mijn neus in een papieren servetje en vraag me af hoe ik in Tom Heinz ooit iets anders heb kunnen zien dan de vijfde apocalyptische ruiter. En omdat ik geen zin heb in Mauds universum en Henks duoconference, ga ik een eind fietsen. In de verte zie ik hoe passagiers naar Guernsey de veerboot op gaan. Ik probeer Christiaan aan boord te ontdekken en kom uiteindelijk op de een of andere manier terecht op de weg naar Platrue Bay.

Terwijl ik woedend op de pedalen trap, voel ik me net een oude schroef die door een nieuwe is vervangen. Toms woorden klinken schraal na in mijn hoofd: 'Je bent mijn grote liefde. Ik zal er altijd voor je zijn ...'

Ook die woorden zijn schroeven. Overal schroeven. Die in het oor van de opvolgster moeten, perfect vastgedraaid, zorgend voor een gezamenlijke toekomst. Inclusief moeder.

Mijn moeder verweet oma Amalie altijd als ze ruzie met mijn vader had dat zíj hem tot de man had gemaakt die haar nu het leven zuur maakte. Amalie was plaatsvervangend verantwoordelijk voor alle zoons die totaal verwend opgroeiden in de opvatting dat ze de beste en grootste waren. Of opgevoed werden tot zet-je-wil-nu-eens-door-en-pik-het-niet-monstertjes. Maar verantwoordelijkheid nemen? Zelfreflectie? Zelftwijfel? Dat hoeven zoons zo goed als nooit. Amalie ging in de verdediging en zag het eigenlijke kwaad in de opvoeding van mijn moeder. Die veel te veel reflectie had meegekregen van haar moeder. En elke keer als mijn moeder en Amalie elkaar over dit onderwerp in de haren vlogen, kwam Maud en zette ze een plaatje op. Meestal van Juliette Gréco. Ze zette de volumeknop helemaal open en begon te dansen.

Voor Maud is het hele leven één groot excitatiepatroon, waarin elektromagnetische processen in hun geheel ons gedrag bepalen. Ze noemt het 'dansen met de neuronen'. Soms snel. Soms langzaam. Soms vrolijk. Soms droevig. Maar het is altijd een kosmische dans die ons bezighoudt.

'En God maakt de muziek?' brieste mijn moeder en ze zette Juliette Gréco zachter. Ze raakte altijd buiten zichzelf van woede als mijn vader niet luisterde en alleen met zijn eigen dingen bezig was. Alleen deed waar hij lol in had. En geen verantwoordelijkheid nam.

Mijn vader zag dat natuurlijk totaal anders. Als het leek of hij niet luisterde, dan was het omdat hij er continu over nadacht wat voor goeds hij voor zijn gezin kon doen. En in plaats van te veel verantwoordelijkheid zou ze hem beter meer vertrouwen kunnen geven. Zíjn dingen waren tenslotte ook ónze dingen. En waar hij lol in had, daar moesten wij toch ook lol in hebben?

De late middagzon werpt een zilveren licht op de zee, die eruitziet als het schild van een schildpad. En als het veldweggetje zich splitst en ik om me heen kijk, ontdek ik Chuck in de bosjes. Als hij me ziet, begint hij te kwispelen. Hij komt op me af, springt tegen me op en loopt dan een stukje voor me uit. Hij blijft staan, kijkt om en loopt telkens een stukje voor me uit als ik naar hem toe loop. Dit spelletje herhaalt hij een paar keer, tot ik begin te snappen dat hij gevolgd wil worden.

'Zou het mijn leven veranderen als je met me zou kunnen praten?' vraag ik hem nadat ik de fiets tegen een struik heb gezet en Chuck over een aantal grote stenen naar een pad gevolgd ben. Het pad komt uit bij een kleine baai die ik nog niet ken. Als we bij een smal zandstrand komen staat de zon al zo laag dat het lijkt of hij op zee drijft. De rotswanden stralen, lijken wel in honing gedoopt.

Chuck verdwijnt in een halfronde boog in de rotsen. Ik volg hem en sta even later in een ovale ruimte die, van daglicht voorzien, een bijna zonnige sfeer uitstraalt. Een brede, licht oplopende gang brengt ons naar een enorme ruimte, waar door een groot gat in het plafond daglicht naar binnen stroomt. Heel anders dan in de Dixcart Bay heb ik hier geen last van een beklemmend, ingesloten gevoel. Chuck kwispelt opgewonden en springt de hele tijd tegen me op.

Op ongeveer tien meter hoogte loopt een galerij dwars door de grot, en aan de donkere verkleuring van het gesteente kan ik zien dat de vloed niet bij de galerij komt.

Plotseling hoor ik Chuck daarboven blaffen. Als hij even later weer naast me staat, volg ik hem naar een plek in de rotswand, waar op natuurlijke wijze ontstane treden op onregelmatige afstand van elkaar het mogelijk maken naar boven te klimmen.

Het uitzicht wordt steeds magischer naarmate ik hoger kom. En hoewel ik me in een gesloten ruimte bevind, heb ik het gevoel dat ik zweef. Voorzichtig klim ik steen voor steen naar boven. Ik neem me voor Maud en Tally deze plek morgen te laten zien en aai Chuck regelmatig even door zijn ruige vacht.

'Morgen zien we elkaar weer op deze plek, om dezelfde tijd, oké?' zeg ik tegen hem.

Chuck houdt zijn kop een beetje scheef. Hij piept en neemt de laatste twee treden in één keer.

Als ik op de galerij ben aangekomen, zie ik de volle omvang van de lichtkegel ongeveer vijf meter boven me. Gehypnotiseerd staar ik naar de duizenden in het licht dansende stofdeeltjes en naar de op de rotswand geprojecteerde schaduw van de in de wind wiegende grassen aan de rand van de grot.

Zacht gepiep haalt me uit mijn dromen. Ik draai me om en staar verbijsterd naar een nis in de rotswand. Chuck zit op een soort stenen bed en kijkt me vol verwachting aan.

Naast hem ligt een broek. En een overhemd. En nadat mijn ogen gewend zijn geraakt aan het schemerdonker, ontdek ik dat de kleren aan een skelet hangen. Nu zie ik pas de tafel achter het bed. En ik blijf stokstijf staan.

Op een van de twee stoelen niet ver van mij vandaan zit een vrouwengedaante. Haar hoofd is op haar borst gezonken. De zwarte kleren zijn veel te groot voor haar uitgedroogde lichaam. Op haar schoot ligt een open boek, met daarop de knokige resten van haar handen, gevouwen, als in gebed.

Het lijkt net of ze in slaap is gevallen. De nog herkenbare gelaatsuitdrukking wordt niet gekenmerkt door pijn. En omdat Chuck de hele tijd tegen me opspringt en blaft, als een jonge hond die wil spelen, maakt mijn angst plaats voor nieuwsgierigheid.

Voorzichtig stap ik over de resten van kaarsen heen die overal over de vloer verspreid staan. Ik zie heel veel lege wijn- en waterflessen. En als ik achter het bed sta, ontdek ik een koffertje en daarnaast op de vloer een revolver en een in leer gebonden boek met de titel *Reigen*, van Arthur Schnitzler. Tussen de bladzijden zit een brief, en in het matte licht lees ik de in onregelmatig handschrift geschreven regels:

Liefste Eloïse,
Je hebt begrepen? Je hebt vergeven en vergeten? Wat
een misverstand! Je bent alleen opgehouden met
liefhebben.
Je Emile

Emile moet de overleden minnaar van Eloïse Fleur zijn. Hier hebben ze dus hun middagen doorgebracht. En hier hebben ze hun leven beëindigd.

Het boek op Eloïse Fleurs schoot ziet eruit als een dagboek. Haar vulpen is op de grond gevallen toen ze voor altijd ontsliep. Stuk. Na de laatste woorden die ze in haar prachtig krullende handschrift aan Emile richtte.

Liefste Emile,
Ik heb geprobeerd te begrijpen, heb geprobeerd te
vergeven, maar hoe kan ik vergeten? Wat een
misverstand! Want ik ben nooit opgehouden met je
liefh…

Hier houdt het abrupt op. Ik ga met knikkende knieën op de stoel tussen Emile en Eloïse zitten en denk aan mevrouw Willaby's woorden: 'Nadat Eloïse Fleur naar haar zieke man was teruggekeerd, is haar minnaar verdwenen. Hij werd nooit meer gezien ...'

Emile schoot zichzelf dood van verdriet. En toen Eloïse hem vond, bleef ze voor altijd bij hem. Tally is waarschijnlijk de laatste geweest die haar levend heeft gezien.

Als het daglicht opeens verdwijnt en er een lange schaduw de grot binnenvalt, begint Chuck opnieuw te piepen. Hij loopt driftig voor me op en neer.

Pas als ik water hoor klateren, roep ik: 'Chuck! We moeten eruit! Het wordt vloed!'

Zo snel als ik kan klauter ik naar beneden. Chuck springt voor me uit. En omdat hij veel sneller en handiger is, verlies ik hem al snel uit het oog.

Het water staat al kniehoog in de grot en de zon gaat net onder in zee als ik me tegen de stroming in een weg naar buiten probeer te banen. Het strand staat helemaal onder water en de weg over de gladde stenen is onmogelijk. Het water duwt me steeds krachtiger tegen de rotsen aan. Ik overwin mijn doodsangst voor het donkere water. En alles daarin wat me zou kunnen opvreten. Ik zwem. Zover ik kan. De zee in. Tegen de stroming in die steeds harder aan me trekt. En duwt. En bereik eindelijk, in het donker en met mijn laatste kracht, een kleine baai, waar ik blijf liggen en volledig uitgeput in slaap val.

21

Als ik wakker word, duurt het even voor ik weet waar ik ben. Nadat ik mijn fiets teruggevonden heb, niet ver van de baai waar ik ben gestrand, rijd ik terug naar het hotel. Ik denk aan de afgelopen uren, weken en maanden. En ik weet meer dan ooit dat ik het leven maar op één manier wil nemen: met al zijn kansen en al zijn mogelijkheden.

In het hotel is het uitgestorven. Ik blijf in bed liggen tot het middag is en fiets even voor enen naar Maud en Tally, om onder het genot van gebraden vis en boontjes niets over Eloïse en Emile te vertellen.

In plaats daarvan luister ik naar de *Petites esquisses d'oiseaux*, pianostukken van Olivier Messiaen, een componist van wie ik nog nooit heb gehoord. Ik probeer daarbij zo fatsoenlijk mogelijk te kijken. De dodecafonie maakt me namelijk gek.

Tally daarentegen houdt zielsveel van Messiaens muziek. Hij kan er geen genoeg van krijgen, omdat geen enkele andere muziek zo is geïnspireerd door zangvogels.

'Horen jullie het roodborstje? De merel? De zanglijster? En de leeuwerik? Helaas veel te snel voor een orkest,' zegt Tally, en hij beweegt zijn wijsvinger op het ritme, alsof hij elke toon wil benadrukken.

'Ik hoor alleen een piano,' zeg ik, en ik overweeg of ik niet toch iets zal vertellen over mijn lugubere vondst in de grot.

'Het bijzondere aan deze muziek is dat door de opeen-volging van de noten een heel heldere samenhang tussen ruimte en gezang ontstaat. Net als bij vogels, die hun ter-ritorium alleen met gezang veroveren. Wie het mooist zingt is onoverwinnelijk!'

Tally toost op de schoonheid en Maud vraagt na een slok wijn te hebben genomen: 'Zouden vogels een ander idee van ruimte en tijd hebben dan wij mensen? Of ne-men wij mensen wat we onze wereld noemen ook ver-schillend waar? Ik heb gelezen dat mijn blikveld maar een tiende van het beeld weergeeft dat mijn geest als realiteit waarneemt. Dat beeld is niets dan een spook dat pas door mijn niet-visuele ervaringen belichaamd wordt.'

'Zo is het. Allemaal spoken …' zeg ik en ik haal een visgraatje uit mijn mond.

'Niet helemaal. Het klopt dat jij zonder te horen, rui-ken en tasten niets kunt zien, omdat elke zuig- en tast-ervaring al tijdens je kinderjaren een pad in je hersenen heeft achtergelaten. Een pictureel woordenboek waarin alles wat je hebt leren kennen is opgeschreven …'

'Een catalogus van voorstellingen die ik me van mijn wereld maak?'

'Ja. Het gekke is echter dat die wereld er niet echt zo uitziet als jij hem je voorstelt, omdat je niet de dingen ziet, maar het idee dat je ervan hebt. We leven in de il-lusie van werkelijkheid en pas onze hersenen voegen aan het tweedimensionale beeld dat het invallende licht op ons netvlies tekent de derde dimensie toe.'

'Ik zou graag willen weten hoe vogels onze wereld zien,' zegt Tally.

'Ik zou graag willen weten waarom ik me zorgen maak over mijn toekomst, als mijn leven sowieso alleen maar uit verleden bestaat,' zeg ik, en ik besluit Maud in een brief over Eloïse en Emile te vertellen. Om de toekomst van het liefdespaar in haar handen te leggen. Wat mij betreft is de grot het perfecte graf. En ik zou ze daar laten. De waarheid zou alleen maar illusies kapotmaken.

Na de lunch wandelen Maud en Tally hand in hand naar de oude windmolen, begeleid door hun vogelorkest, 29 vogels om ze heen die Tally blijven volgen als hij een gebaar maakt, een schelle of scherpe kreet uit. Het lijkt wel magie. Je kunt de zwerm vogels al van verre zien, alsof hij me in de verte naar het hotel begeleidt, waar al ongeduldig op me gewacht wordt.

Henk heeft zijn koffers gepakt en is erg opgewonden over het weerzien met Luna. Sinds ze hem heeft beloofd zijn vrouw te worden, telt Henk de dagen en nachten. Over minder dan 24 uur wacht Luna op het vliegveld van Moskou op hem en al de daaropvolgende nacht zullen ze werken aan hun gezamenlijke programma. Een wereldpremière! Een sensatie!

Henk wil Luna als huwelijksgeschenk zijn videodagboek uit zijn tijd als single cadeau doen. Het moet eindigen met romantische beelden van Sark. En omdat precies om die reden Honky Tonk zo min mogelijk in beeld moet komen, heeft die een slecht humeur. Hij vertelt Cerryth, die bezig is de post in de vakjes met in krulletters geschreven kamernummers te sorteren, het verhaal van de gekostumeerde aap die altijd werd gepest omdat hij eruitzag als een menselijk wezen. Tot hij het op een dag niet meer uithield en naakt terug het oerwoud in ging om daar gelukkig en tevreden te worden.

Ik wens Honky Tonk een goede reis.

Hij antwoordt geïrriteerd: 'Ik heb tenminste een doel …'

'Ik ook.'

'Ach, echt?' vraagt Honky Tonk verbaasd. 'En dat is …?'

'Geen doel hebben,' antwoord ik olijk. 'Pas jij maar op dat je laatste doel niet een stoffige koffer op zolder is …'

'Dat zou je toch nooit … Zou je dat …?' Honky Tonk kijkt Henk vragend aan.

'Zeker, als je je zo blijft misdragen.'

'Ik ken iemand die erg in je geïnteresseerd is. Christiaan wil je graag een paar nieuwe ogen geven.'

'Christiaan? De vogelpreparateur? Wat moet ik in godsnaam met kippenogen?' roept Honky Tonk verbijsterd uit.

'Hij wil je een pruik van echt haar aanmeten.'

'Echt haar? Zie je nu wel, Henk. Ik zeg het altijd. Jij verwaarloost me!'

'Natuurlijk. Wie van ons twee reist er met overbagage? Ik heb in mijn hele leven nog niet zoveel pakken gehad als jij. En jouw smoking voor mijn bruiloft was een stuk duurder dan de mijne.'

'Geef Christiaan mijn adres maar. Wie weet … Zo'n cruise kan heel saai zijn. En voor een dandy als ik is Londen eigenlijk ook passender.'

'Manchester,' corrigeer ik, en ik haal een fax uit mijn postvakje.

'Wie is die Chester nu weer?' vraagt Honky Tonk geïrriteerd.

'Christiaan woont in Manchester,' zeg ik, en ik laat Honky Tonk over aan zijn illusie van een beter leven, terwijl ik lees dat Christiaan me mist en graag in Berlijn bij me langs wil komen.

'O. Goed dan. Manchester is ook prima,' zegt Honky Tonk zuchtend. Hij wordt onderbroken door Cerryth.

'Een zekere Adriaan Angst heeft een rondschrijven aan alle hotels op Sark gestuurd.' En hij zwaait met een brief.

De nieuwe wereldkampioen luchtgitaarspelen vraagt Martha Knorr mee naar China.

'Ken je die man?'

'Geef eens hier,' zeg ik en ik graai de brief uit Cerryths hand. Het idee om Angst in China te zien vind ik niet slecht.

Nadat hij door eindeloze bossen, steppes, langs Kazan, over het Oeralgebergte, naar Jekaterinburg gereisd is en verder naar Omsk, om in Novosibirsk de Ob over te steken en de Jenisej na Krasnojarsk achter zich te laten, om van daaruit verder naar Irkutsk naar het Bajkalmeer te rijden. En op die route elf tijdzones te passeren! 8.500 kilometer met de trein terwijl ik op 2.000 bij 6.000 meter een reis naar mezelf heb ondernomen.

'Hoe was eigenlijk je ontmoeting met Tom?' vraagt Henk als we even later langs de laan wandelen en hij de in de wind wiegende bladeren boven ons filmt.

'Ik ga de scheiding doorspreken met een advocate in Berlijn. Voor ik iets onderteken, wil ik dat zij zich gaat bezighouden met het misverstand van mijn huwelijk. Vóór mijn vader zich bezig ging houden met de lach, had hij een vriendelijke, inschikkelijke en vrolijke glimlach. Intussen beweert hij dat de lach niets anders is dan de verdere ontwikkeling van een bij primaten voorkomend dreiggebaar. Namelijk het ontbloten van de tanden. Ik vind dat advocaten hun tanden heerlijk ontbloten.'

'Tom zal het lachen dus vergaan?'

'Ja, uiterlijk over een paar minuten, als hij de envelop opent met daarin de niet-ondertekende scheidingspapieren.'

'Laten we naar het strand gaan,' stelt Henk voor.

Als ik even later op weg naar Dixcart Bay Chuck tus-

sen de struiken ontdek en hij een stukje met ons mee-
loopt, ben ik opgelucht dat ook hij heelhuids uit de grot
ontsnapt is.

'Zie je dat daar in de verte? Die vreemde zwerm vogels
in de buurt van de windmolen?' vraagt Henk en hij blijft
staan.

'Daar zijn Maud en Tally onder te vinden,' antwoord
ik, en ik vertel Henk over Tally's vliegende droom en de
uitkijktoren, Christiaan en Eloïse en Emile. Zonder te
verraden dat ze niet ver van ons vandaan in een grot liggen.

In de buurt van Dixcart Bay gaan we op een heuvel in
het gras zitten. We staren naar zee en horen het geschreeuw van de meeuwen. We bewonderen nog een
keer de vlucht van de stormvogels. En nadat ik mijn jack
heb uitgetrokken om het onder mijn hoofd te leggen,
voel ik Toms zwembroek in een van de zakken. Terwijl
Henk met Honky Tonk bediscussieert of een schaduw
uitdrukking van levendigheid of gewoon alleen maar
storend is, sta ik op. Ik loop naar de rand van het rotsplateau. Dan gooi ik de gele zwembroek met een grote boog
over de klippen en zie hoe hij even later op de golven
drijft. Om opeens met een ruk onder water te verdwijnen.

'Zagen jullie dat?' stamel ik.

Henk rolt met de camera in zijn hand 180 graden om
zijn eigen as en filmt het in de namiddagzon glinsterende,
spiegelgladde wateroppervlak.

'Wat?' vraagt hij dan.

'Toms zwembroek ... Hij is plotseling verdwenen!'

'Waar?'

'Daar! Alsof hij door een grote vis is opgevreten.'

'Toch niet door een haai?' vraagt Henk ongelovig.

'Een haai vreet niets van een andere haai,' zegt Honky Tonk.

En terwijl Henk en Honky Tonk erover discussiëren of in het Kanaal überhaupt haaien zijn en ze het wateroppervlak afzoeken naar een driehoekige vin, klauter ik naar beneden om op een prachtige dag in augustus te gaan zwemmen, begeleid door stormvogels.

Als afscheid nog een kleine spreuk voor overlevenden:

'Je eigen moeder, je eigen zus, je eigen varkens, de eigen yama's die je hebt opgestapeld: die mag je niet eten.
De moeders van andere mensen, de zussen van andere mensen, de varkens van andere mensen en de yama's van andere mensen die ze hebben opgestapeld: die mag je eten.'

– Arapesh-aforismen – M. Mead, *Sex and Temperament in Three Primitive Societies*, New York 1935